U0944077

萧乾 主编

新编文史笔记丛书

第二辑

22

楚天笔会

吴文蜀题

湖北省文史研究馆 编

吴文蜀 主编

中華書局

目录

沧桑述旧

往事钩沉

宦海微观

文教轶闻

艺文摭拾

金石书法

剧坛琐录

荆楚寻胜

民情风物

乡土饮食

草莽记奇

序

萧　乾

读书界向来对野史有所偏爱。野史大多是信手拈来的历史片断，且往往出自亲历者之手。文直事核，不虚美，不隐恶，而文笔潇洒自如，意味隽永，自然朴实，篇幅不长；可以摊开来仔细咀嚼，也可供茶余酒后、行旅倥偬中，随手浏览。

鲁迅在《华盖集》中，曾几次对野史表示过好感。在《忽然想到》一文中写道："历史上都写着中国的灵魂，指示着将来的命运，只因为涂饰太厚，废话太多，所以很不容易察出底细来。正如通过密叶投射在莓苔上面的月光，只看见点点碎影。但如看野史和杂记,可更容易了然了,因为他们究竟不必太摆史官的架子。”又在同书《这个与那个》一文中说:“野史和杂说自然也免不了有讹传,挟恩怨,但看往事却可以较分明,因为它究竟不像正史那样地装腔作势。”

全国文史研究馆所编的《新编文史笔记》丛书,内容也属野史杂说的范畴。我们希望这些以亲闻、亲见、亲历为主的轶事掌故、琐闻杂记,写人、事而摒除误会曲解,述历史而符合真实面目。

作为一种短隽有味,文字清奇而又雅俗共赏的文学体裁,笔记在中国具有悠久的传统。它始自魏晋,盛行于宋代。南朝刘义庆的《世说新语》,北宋沈括的《梦溪笔谈》,南宋陆游的《老学庵笔记》,明朝张岱的《陶庵梦忆》,清朝纪昀的《阅微草堂笔记》以及20世纪30年代初丰子恺的《缘缘堂随笔》,都是文学史上的奇葩。然而,近年来笔记乏人问津。因此,我们出这一套书,也包含着挽回颓势之意。

全国三十二所文史研究馆拥有雄厚的稿源,两千多位馆员和各馆联系的社会人士,都是丛书的撰稿人。他们都是文史界的耆宿,见多识广,阅历丰富:有的反对过帝制,有的在“五四”运动中扛过大旗,他们目睹过军阀的横行霸道,也经历过艰苦卓绝的八年抗战。这些历尽沧桑的饱学之士,他们的所见所闻,都是弥足珍贵的史料。

本丛书分辑出版，分别由各地文史研究馆编辑,内容亦以本乡本土为主。因此,各册势必具有浓厚的地方色彩。

本着笔记固有的传统，所收各文题材不嫌庞杂。举凡与文史有关的政治、经济、军事、文化、社会等方面,或记闻见杂事,或叙往昔交游,或忆社会百态,均在搜罗之列。时间跨度则自清末以迄1949年为止。这正是中华民族从闭关自守到走向世界,从落后羸弱到奋发图强,是天翻地覆、风起云涌的大半个世纪。其间,发生过多少可歌可泣的事迹,涌现过多少杰出的人物。以这一时间跨度为背景题材写出的笔记作品，必然是内容最为丰厚的。

在选稿标准上,我们坚持史料一定要真,内容要新;既要防止以讹传讹,也力避炒冷饭。在写法上务求短小精悍、生动活泼。每篇以千字为度,希望借此在文风方面,提倡一下简约。在版式上,则想做到既利于阅读,又便于携带。

恳切希望文史界方家及广大读者，不吝赐正。

刘维桢将功赎罪修复赤壁

王琳祥

刘维桢，湖北省黄冈县杨鹰岭人。曾任太平军佐守蕲州之兵使。其人能诗善文，前半生为穷苦百姓作过一些有益的事情。

清咸丰十一年(1861)二月，太平军首领陈玉成派遣勇将，假借清军旗帜，夺下黄州。为长久计，筑垒浚濠，意欲长期据守。同年六七月间，清官文恭调派记员总兵成大吉等，率其部下十八营，从江南渡过江北，准备攻打黄州。七月十八日，总兵李续焘率军进驻黄冈回龙山，攻打戚家岭。太平军见双方兵力悬殊太大，且将士伤亡很多，遂将兵力转移至黄州城内固守，清军四面攻打不下。当时，刘维桢兵驻蕲州，得知太平军战败的消息，遂暗中策划降清之事，并派心腹至清官文恭行辕内，密告黄州城内太平军的情况。官文恭当即檄知清军水陆各营，相机策应。又命刘维桢以增援太平军的名义，率军至三台河对岸驻扎，并伪造陈玉成文令，投送黄州城中。黄州城内太平军将领信以为真，突围出城，结果，遭到清军伏兵合击，伤亡惨重。冲出重围的太平军将士奋力奔往三台河，欲与刘维桢合兵一处，不想又遭刘维桢迎面阻击，数千名太平军将士猝不及防，歼溺殆尽，三台河水为之不流。黄州于是年八月二十日为清军所破。这一天，是黄州民众难以忘怀的一天。刘维桢这个太平军的叛徒，以太平军数千名将士的鲜血换得了清蓝翎五品军功，并由此发迹，成为黄冈的头号大地主，占有田地二十五万亩，自云“出门不走他人路”，雇工五百多人，仓库七座，当铺五家，房屋一百三十八栋，轮船两只，老婆十个，过着骄奢淫逸的生活，成为万民切齿痛恨之罪人。

同治时，刘维桢已届暮年，回首一生荣辱，忏悔之情溢于言表，深感“富贵者，草头之露；名胜者，长江之水。水长流而不竭，露一晞而无余。人生天地间，知岁月之几何，但免饥寒，何必留赢余以疲心力而累子孙”。鉴于黄州赤壁之上的建筑物已被战火焚毁多年，乃出巨额家产，率忠义军各营官兵于同治七年(1868)重新修复赤壁之上的楼台亭阁，千年名胜得以恢复旧观。

陈宧读古文度年夜

陈　中

民初四川督军陈宧，字二安、二庵，湖北安陆城关人。早年未发迹时，读书于邑中汉东书院（即抗战前的湖北省立第十中学，亦即现在的安陆市第二小学）。书院有屋数十椽，花园亭榭齐全，环境优美，是一安静的读书处所。

1887年夏历新年将届，同学都回家与家人团聚欢度佳节去了，独陈宧一人因院中有膏火供应，仍留院苦学。除夕夜与母徐太夫人守岁，而家徒四壁，别无长物。他深为感叹，对母说："儿自愧无力献大人以屠苏酒，只好读几篇古文为大人寿，并以此消磨永夜。"母云："儿可读《五柳先生传》、《滕王阁序》、《与韩荆州书》。"陈宧遵命朗读，声音铿锵，顿忘穷愁潦倒、日食维艰之境。忽然鞭炮之声四起，丁亥年元旦佳日悄然来到人间。陈当即赋诗一首云：

缊袍衣敝已经年，十日无炊一粲然。
最是家家除夕夜，晚香亭畔枕书眠。

此乃纪实之作也。陈未得意时，邑中亲族戚友无一人接济其薪米。后受知遇于川督锡良，始崭露头角，名重京师。

刘英站柜台

景　山

辛亥革命名将刘英，原名刘光铭，字丹书、聃述，湖北省京山县人。1886年生，晚清最后一届秀才，后留学日本士官学校，结识了孙中山。经孙介绍，加入同盟会及共进会。1909年受孙中山之命回江汉平原组织队伍，准备武装起义。

刘英回到阔别十年的家乡，在永滗河街开了一个“全盛美”杂货铺，自任老板，借此避人耳目，暗下组织联络群众。

刘英是秀才，又留过洋，四乡八保的绅士官长对他开店经商不免生疑。开业时，他在门前写了一副对联：“来大街上，做小生涯。”乡绅官府还真以为他看破世情，归务农商了。直到辛亥革命爆发，刘英拉起了队伍，这才知道他站柜台是为了隐蔽身份。

李四光取名由来

雍 怀

李四光，原名李仲揆。清光绪二十八年(1902)，十四岁的李四光从家乡黄冈县去武昌应试，报考高等小学堂。填表时，他误将年龄“十四”填进了姓名栏内，发觉后即将“十”改作“李”。觉“李四”不雅，抬头只见大厅悬有“光被四表”匾额，立即在“四”字后添一“光”字。从此，就一直名李四光了。

黄季刚两砸“虎头牌”

余彦文

光绪三十四年(1908)，黄季刚母病，还乡侍疾。适光绪、慈禧相继暴卒。蕲州高等小学堂举行“哭临”式，众匍伏如鸭，惟学生田桓不跪。堂长杨子绪悬出“虎头牌”，宣布开除其学籍。黄季刚闻之，步驰数十里，直入学堂，砸掉“虎头牌”，逼堂长收回成命。

未几，田桓剪去辫子，杨子绪以为“大逆不

道”,又悬牌记田桓大过。季刚复入校,二砸“虎头牌”,且执杖骂杨,杨瑟瑟而匿。

孙中山主持文明婚礼

雍 怀

张荆野于 1912 年任南京临时大总统秘书时，与孙中山先生过从甚密。时张荆野妻子去世,于家乡黄冈县与一女子订婚。父母多次书信催促回乡完婚,张因忙于国事,无暇回乡。孙先生得知后,立即要张荆野写信,接未婚妻来南京成婚。未婚妻来后,由中山先生证婚,举行了中华民国成立后的第一对文明结婚典礼。当时,总统秘书处送对联一副:

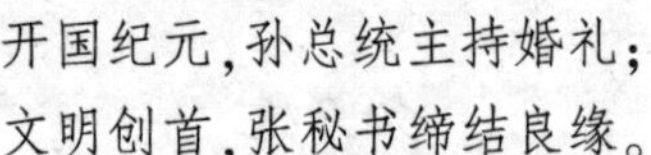

开国纪元,孙总统主持婚礼;

文明创首,张秘书缔结良缘。

宋教仁黄州之行

贺全斋

辛亥革命之后,政党林立。宋教仁联合与同盟会政见相同的统一共和党等几个小党,于

1912年8月改组成立国民党。孙中山先生去日本后，宋代理国民党理事长。1913年初，先后在长沙、汉口发表竞选演说，主张成立责任内阁，抨击袁世凯政府，引起袁世凯的忌恨。

是时鄂东各县已于1月9日初选议员，黄州复选区准备复选。2月6日(旧历元旦)，宋教仁偕鄂东籍田桐、查光佛、钟勖庄、蔡寄鸥，乘专轮来黄州。船行中流，风浪湍急，宋乃发起联诗以示镇静，自起首句："晓气连江北。"田桐应声和曰："扁舟发汉阳，烟波渔父隐。"查笑曰："流水议员忙。"宋说："好，我等此来，实为梓琴(田桐字)当选议员。梓琴已初选上，业经党中议定，为复选当选之目标。"联至此，风涛过猛，有人晕船作呕，遂各伏舱而卧，屏息无声。宋遂改成一律：

晓色侵江白，轻舟发汉阳。潮声随岸远，山势送人忙。大地风云郁，长途霜雪降。悠悠此行役，何处是潇湘？

船至阳逻，风渐息。田桐说："宋大哥，袁项城野心勃勃，反对政党内阁，忌才心切，对你不利，听说已派出刺客，奈何?"宋镇静自若，笑答："我也听说，但此乃防不胜防的事，只有泰然处之。须知我在今日，生有生的关系，死有死的关系，若不幸我被刺死，或足以促进我党之奋斗，缩短项城之命运，亦未可知。"船抵黄州，受到驻黄第五师师长吴兆麟整队临江欢迎，各界来欢迎的不下万人。

宋登岸即出席欢迎大会，并就选举意义及

议员责任发表极其诚恳的演说，使国民党的选举声势为之一振。9月复选，国民党的田桐、居正、吴寿田、彭汉遗分别当选众、参议员。

宋教仁随即乘船东下，3月20日即被袁世凯派遣的特务暗杀于上海车站，全国震动。不出宋教仁生前所料，引发了“二次革命”。由此可见，革命志士之死重如泰山。

吴国桢少有大志

税世蕙

吴国桢于1926年戴着美国普林斯顿大学政治学博士学位的桂冠步入政坛，在蒋介石国民党政府里青云直上，成为鄂西历史上第一个显赫人物，这已为人所共知。然而，知其童年就胸怀大志的却不多。

1903年10月21日(阴历九月初二)吴国桢出生在鄂西建始县川汉要道的一个小镇子上。三岁入学读私塾，对《三字经》倒背如流，被族人誉为“神童”。五岁随父母入京，六岁读《左传·郑伯克段于鄢》篇，能提出疑难问题求教于父兄，深得其父喜爱。七岁提笔作文，面对其父“将来欲为何等人物”的提问，当即写道：“予欲为君子，为仁人，为尧舜。”八岁读《中俄纪要本末》后咏诗云：“俄国侵我兮据我蒙古，我欲拒之兮，粮械全无，欲何为计兮，取俄头颅……”九岁阅《资治通鉴》，并根据老师提出的《言志》的命题，仿效司马迁的笔调写道：“严陵子曰：先人有言，自周公卒，五百年而生孔子，孔子卒后，千七百年而有元世祖，元世祖卒后，至于今六百年矣，有能开拓疆土，光复故国，雄居东亚，使人民永安生业。……意在斯乎，意在斯乎！小子何敢让焉！”

由于吴国桢从小就有远大抱负，加之敏慧过人，又能刻苦攻读学业，在校学习期间，成绩一贯优良，多次受到学校嘉奖。在天津南开中学读书时，作文多刊于学校杂志中供大家阅读。在清华学校求学时，作南宋上、下论文两篇，得到学校的奖励。在美国格林内尔大学，因各门功课成绩都优异，享受免缴学费的待遇。在普林斯顿大学，得美国学府奖给金钥匙徽章，年获奖金七百元。再留该校研究科就读，年获奖金一千二百元。同时，他还注重体育活动，为该校的网球冠军，曾代表学校出席过全美国的网球比赛。他在校期间功夫下得深，获得了过硬的本领和多方面的知识，为以后顺利从政奠定了坚实的基础。

发现熊十力之“伯乐”——蔡元培

刘作忠

蔡元培与熊十力交谊甚深1917年，蔡元培改革北京大学，创进德会，熊贻书赞助，极声应气求之雅。1918年，熊自印其处女作《熊子贞心书》，蔡欣然为之作序，为熊尔后弃政研读儒佛奠定了基础。熊三十五岁后，蔡见其佛学研究卓有新见，乃以沈约《内典序》中“六度之业既深，十力之功自远”之意，赠“子贞”为“十力”。“熊十力”一名自此始。1922年，三十八岁的熊十力应蔡校长元培之聘，为北京大学特任讲师。其《新唯识论》稿数种和《破〈破新唯识论〉》均为北大所印制，促进熊由旧学萌发新见，自创体系之发展。人谓：如无伯乐——蔡元培先生发现、认识、重用，熊很可能会湮没无闻。

罗章龙、施洋、董必武访陈友谅故里

刘正民

元末农民起义领袖、大汉皇帝陈友谅的故里，在湖北洪湖黄蓬山。大革命时期，著名的共产党人罗章龙、施洋、董必武等都曾到其故里访问。

1922年，罗章龙偕施洋（“二·七”烈士）、李伟森（中共中央机关报《红旗日报》编辑、烈士）访陈友谅故里，并赋诗一首：

驱虏曾张挞伐仁，襟江据楚汉仪新。
已沉霸业随芳草，犹记当年大泽人。

1927年，罗章龙与董必武再访陈友谅故里，又赋诗一首：

洪水滔天雪浪高，江郊小屋困人豪。
鱼村篝火齐明夜，月里风嚎战沔桥。

萧楚女巧息旁人怒

阎俊杰

1920—1923 年间，萧楚女在襄樊从事社会活动，曾在湖北省立第二师范学校任教(校址在今襄樊市的襄城)。萧为人既严肃，又诙谐。一次学校开师生员工大会，校长因故在会上大发雷霆，萧楚女反感这种做法，他偷偷地从身后给校长后领头插了两根草，并不断做出各种滑稽表情。这样校长越发火，下边的人越忍不住，发出阵阵笑声，结果会未能开下去。事后萧把自己的意见和做法告诉了校长，校长认为他没做错。

陶希圣私拆胡风情书

刘作忠

陶希圣是湖北黄冈人，胡风是湖北蕲春人，虽两地相距百里有余，却因过去同属黄州府，算是小同乡。1927 年初，胡风在国共合作的国民党湖北省党部主编《武汉评论》周刊。其时，胡曾向中央军校武汉分校任中校政治教官的陶希圣约稿，两人因此熟识。后来，陶到南昌任《民国日报》编辑，胡风又以"古因"的笔名在该报文艺副刊《星火》上发表文章。

1928年初春，陶自南昌到上海，随后胡风也到了上海。胡风因住处不定，托陶为其转接信函，每隔一天到大沽路陶宅取信。胡每取信后，即告辞出门，沿弄堂边走边看。胡来信很多，大多出自汉口同一地址的女性手迹。陶出于好奇，某日偷偷拆开一封，果然是一封情书。是用钢笔蘸着紫色墨水写的，信的开头是"亲爱的哥"，"哥"字前面还空一格。胡风面麻，陶便照样用紫色墨水，也用钢笔蘸着墨水在"哥"字前面的空格仿原信笔迹加了一个"麻"字，再将信封好。加了这一字，就成了"亲爱的麻哥"。

胡风照常来取信，仍然一边沿弄堂走，一边低头看信。陶希圣特地从窗户观看，见到胡一拆信，马上面带怒色，大步走了。自此，汉口那位女士的来信也断绝了。

陶后来辗转打听到胡夫人非当年写信的女士，他为自己这次对胡开玩笑所造成的后果内疚不已，却一直没有勇气向胡提及此事。

谭延闿大度容人

谈　瀛

民国十八年(1929),谭延闿任南京国民政府行政院长,2月14日,为其五十四岁寿辰。湖南有张冥飞者,戏为祝寿序文云:“茶陵谭氏,五四其年。喝绍兴酒,打太极拳。写几笔严嵩之字,做一生冯道之官。用人惟其人,老五之妻舅吕;内举不避亲,夫人之女婿袁……”极尖刻嘲讽之能事。录付报纸刊登后,迅即传播众口。谭阅报后,具柬约请张君晚宴,并请湖南同乡鲁荡平、吕蘧生、李安甫等人作陪。张接请柬后,知道是由于文字闯出了大祸,但又不敢不赴约。到会时,谭竟以上宾之礼相待,说:“足下,你是我的好朋友,当今没有人不恭维我,足下独敢骂我,实在难得。……湖南有足下这样的文才,延闿不知,深为抱歉!行政院已无适当职务位置足下,只有四百元月俸的参议,暂时望屈就。”张听了,面红耳赤,无地自容。

第二天,行政院给张送来“参议”聘书,张更感到惭悔,即写一信复谭,道歉申谢,并将聘书退还。函云:“士献箴,古有之;公大度,今所无。惟冥飞笔耕足以自活,聘书优俸,万不敢当,庶免涉文人无行,迹行敲索之嫌。大君子爱人以德，必能谅之。”事后，逢人便说：“谭公真是宰相肚里好撑船。”翌年，谭延闿病逝，张闻讣往吊，拊棺痛哭不止。知其事者，无不深为感动。

周之舞，长沙报界老人，与张冥飞识，抗战期间我与周同事，闻周述其事甚详。

张学良武汉上空驾飞机

龚啸岚

1935年，张学良赴德国治病后归国，身躯健壮，精神焕发，与从前判若两人。南京政府任命他为军事委员会副委员长、“剿总”副总司令，授一级上将，与冯玉祥、阎锡山、何应钦等七人同列。当时张驻武汉，行辕设在旧督署(今造船厂)，私邸在徐家棚杨园(今铁道部第四设计院)，与武汉结了一段渊源。斯时，东北旧部盼着“打回老家去”，张本人也愿收复失地，一雪“不抵抗”之耻。只是蒋介石“安内攘外”为不可动摇之决策；张徜徉于江汉之滨，实心不在焉。沈阳事变后，谤满天下，他曾以“三字听人呼不肖，半生误我是聪明”自我解嘲，内心苦闷殊甚。

此时，政府为“敦睦邦交”，连“抗日”一词亦不许使用，报刊上经常有“抗×”怪词出现，人民被压抑得吐不过气。风度翩翩之少帅，只能在球赛开球、东湖游泳时始获一见身影。

1935年夏，武汉市举行第一次防空演习，内容有试放警报、灯火管制、疏散、掩蔽、救护及夜袭等作业。当入夜时，一架德国容克机出现于武汉天上，霎时探照灯齐明、白色光柱划破夜空，被追逐的银燕穿梭翱翔，极为矫捷，比诸后来空战规模虽属简单，但在当时视之仍极壮观。次日报纸披露："昨夜出现之飞机，系张副司令亲自驾驶，自南湖机场升空参加演习"云云。张学良青年时代曾受过飞行训练，国难当头亟欲一显身手，其用意自不言而喻，武汉市民亦为之交口赞许。是年年底，北平发生"一二九"学生爱国运动，武汉亦起而响应。一年以后，张学良、杨虎城为实现"停止内战，一致抗日"主张，策划了"西安事变"。武汉市民与张学良有过接触，多倾向于此次兵谏，张更为此付出了失去多年自由的沉重代价。周恩来总理称他为"中华民族的千古功臣"，乃是最为公允的历史评价！

笔者当年曾是采访过杨园的青年记者，往事犹历历在目。

叶挺关心穷人

税世蕙

皖南事变后，叶挺曾先后两次被押解到恩施城囚禁。囚禁期间，叶挺不沾第六战区点滴粮钱,由老朋友周苍柏接济以维持一家人的生活,后来国民党竟责令周苍柏停止对他的资助。然而叶挺不为生活所迫,经常起早贪黑,开荒种地,将劳动收入小部分用于糊口,大部分送给穷人。

1942年冬,叶挺第一次来恩施,囚禁在城郊朱家河岸边的一所小土屋里,国民党派特务严密监视,不让他与周围老百姓接触。可是,叶挺仍寻找一切机会,到穷人中去,促膝谈心,嘘寒问暖,与穷人结下了深情厚谊。囚屋附近有个贺三姐与他接触较多。贺三姐有一邻居,专做豆芽生意,每次赶场回来,叶挺总要漫步上门与其拉家常,问生意如何、收入多少等等。又向她打听附近穷人的生活境况,并对贺三姐说:“谁家有困难,只要你贺三姐信得过,我当可以接济。”时间久了,贺三姐也把叶挺当作贴心人,无话不说了。叶挺从贺三姐口中打听到有个刘贵华,一家日子难度,揭不开锅,便给了钱让他做豆芽生意。又打听到贺大姐缺棉絮、棉衣过冬,叶挺便将家中棉絮、旧衣送去。

1943年冬,叶挺再次从桂林被押至恩施囚禁。听说附近有个叫黄同顺的,这个人既不会做生意又没土地,只靠给富人放养鸭子糊口。此时主人家嫌他放鸭赚钱太少,干脆收了鸭不给他放了。正在黄同顺走投无路之际,叶挺上门对黄同顺关切地说:“我拿钱买一棚鸭子,我俩扯伙放养,以你为主。”黄同顺绝路逢生,喜出望外。不几天叶挺真的买了四百多只鸭子交给他放

养。黄同顺十分感激，热泪潸潸。夫妇商量一定要把鸭子喂好，到时间给叶军长多分几个钱，以报答叶军长之恩。黄同顺精心放养，鸭子开始生蛋了，卖了几次，给叶挺送钱，而叶挺却推辞说："现在这几个钱，你自己留着用，待以后收入多了，我会找你要的。"一年过去了，叶挺亦从未找黄要钱，黄同顺家境也好转了。

1945年8月，抗日即将胜利，叶挺要被押往重庆去，好心的邻居们纷纷劝说叶挺找黄同顺还钱，叶挺总是笑着说："慌什么，还早呢！"过几天，叶挺真的要走了，便请邻居贺三姐转告黄同顺："那棚鸭子我就作礼物送给他了。"

严立三持身廉洁

李熙康

严立三自湖北省财政厅长及省代主席任上下野到宣恩晒坪垦荒以后，仅靠一点国民参政员微薄补助维生，持贫守拙，两袖清风。1943年秋至1944年夏，他在湖北省宣恩县立初级中学三年级甲班义务讲授公民课。他家居宣恩县政府附近，与学校有相当距离，无论风霜雨雪，均步行到校，从不耽误。校长丁超曾专程奉送代课薪资，却收；或留饭，亦却受。他的公子严善明，亦宣中学生。余曾随之往其家，所见陈设简朴。

宣恩县府遵省令按月资助大米柴禾,皆却收。廉洁奉公,人所共钦。

1944年严病逝恩施。宣中三甲班学生着童子军服前往守灵,此乃严氏所授的最后一批学生。

严立三严治拖拉陋习

廖永东

被誉为"湖北三杰"之首的严立三,抗日战争时期在恩施任湖北省代理省主席时,以严肃紧张的"三不"(即不用私人、不牟私利、不作坏事)作风受到人们普遍称赞。特别是他严厉惩治拖拉陋习的故事,至今还广泛流传在人民群众中间。

严每到各地视察工作,事先不发通知,也不准迎送。总是只带一个通讯员,配一匹驮行李用的马。到达目的地后,也是自己先找栈房、旅舍住下,在吃了饭后再到当地政府了解情况,办理公务,不受任何接待。但是对各地政府机关的拖拉作风却采取严厉整治的办法。

有一天,严立三上班时走到咸丰县政府,县长秦绍恬尚未起床,闻恩施有人来会,便命在会客室等候。严便手书一张"立三有事会见县太爷"的便条交勤务递进。秦见条后大惊,即整衣出迎。严问:“县政府几点钟办公?” 秦答:“八点。”严坐至八点半还未见来一人,不禁大发雷霆,命秦去恩施听调。原来严头天就到了咸丰县城,住在一家小客栈,闻百姓叫县长绰号为“秦少刮”。探知政声不佳,早已不满,并非仅因办公误事而一时发作。

严立三早起成习。起床后常常步行至附近各学校、机关,检查作息制度。有一天清晨,他信步至金子坝恩施高中分校 (距省府所在地约六里),六时已过,学生还未起床。他径执锤击钟,惊醒校中师生。分校主任见代省主席立操场上,连忙集合学生,请他训话。他却说:“大好时光,不要被训话耽误。只希望先生们理解抗战时期,青年学生在此读书不易,千万珍惜时间,不要误人子弟。”说毕径自离去,然后又到省政府的各厅、处突击检查,及时处理问题,整饬怠职行为。

自此,公务人员也就不敢玩忽职守了,省府机关很快出现严肃、紧张气氛, 改变了以往疲沓、拖拉的陋习。

张难先撰联为村妪祝寿

斯 翁

1941 年农历九月五日, 湖北省宣恩县长潭河女儿坝上,有一夫家姓王的老村妪朱八妹,做八十寿辰。当晚，王家灯烛通明，炮竹连天。张难先夫妇携礼杖步而来，满堂客人顿时一惊。这位既有声望，且又当过大官的人，缘何来给小小老妪拜寿？

原来，湖北“三怪”之一的张难先平生为官清廉，自辞省民政厅长后，夫妇来此隐居与老妪为邻，生活艰苦，常将磨后的玉米皮壳炒焦又再磨成面，掺菜蒸馍度日。老妪时家境较宽，与张夫人相处情同姊妹，不时予以照顾。因而张夫妇在此隐居，颇能安贫若素，与穷苦土家及苗、汉山民打成一片，为百姓办好事。以后张为启迪民智，创办“耻庐”农民成人识字班，老妪又腾让房屋，提供桌凳，助他办学。夫妇为此颇为感激。得知老妪寿辰，按当地的乡俗，远亲近邻，都要具礼相贺。张以何物为礼，倒是费了一番苦心。

先是寿日当午，张唤来识字班学生涂国元，着将书有“寿送三槐客五柳，樽开北海庆西池”的字条，送请严立三指正，并道“三槐”所指王家，出自“三槐堂上”宗传。时严立三辞省代主席已久，正为创建晒坪垦殖事宜，隐居于此。住所与张隔河相望，鸡犬之声可闻。见张的字条，连口称赞“好联！好联！”即走到桌边，拿起铅笔，在下联“庆”字上画了一“○”，旁边又写下“贺”字，递给涂说：“‘庆’字用于此处，主客含混，故‘客’字体现不深。你回告先生，改为‘贺’字如何？……”涂就此回告于张。张认为严所改之字确实高明，便取来红纸，准备好笔墨，一挥而就:“寿送三槐客五柳樽开北海贺西池”,接着又疾书一特大“寿”字。是晚,张难先夫妇具此为礼,心意诚恳,态度谦恭,来给老妪拜寿。主人全家及众宾客见后皆大欢喜,忙将此寿联悬挂中堂,拥推张夫妇入席首座,争与攀谈……

张公拜寿趣事,虽已时过五十年,但在当地民间,至今仍是各族百姓饭后茶余聊天的佳话。

张难先心服“棍谏”

朱茂凡

1939年7月,严立三辞去国民党湖北省政府民政厅长,改由张难先继任。张接任后,因求治过急,不免有些刚愎自用。一日教育厅主任秘书张某到恩施城关理发店理发。该店只有理发师一人,正为别人理发,叫张坐下稍等。不一会又来一人,理发师把前一人理完后,又理后张而来的一人,置张于冷板凳而不顾。张即质问理发师不分先后、不守秩序。理发师答道:“能候则候,不能候请走。”张以理发师傲慢不讲理,举手就打他一耳光。理发师不知张的身份,哪甘示弱,遂还张一耳光。由于用力过猛,手指划破了张的面庞,鲜血直流。纠缠不休,经人劝解方散。

张回厅报告厅长时子周,时见张脸上血痕,怒不可遏,急以电话通知民政厅长张难先。张即电话县警察局封闭了理发店，关押了理发师。但警察局依法拘人不能逾二十四小时，遂把本案移至法院。然法院与地方行政官署有矛盾，即票传张主任秘书对质。

时隔几日，张脸上已无伤痕，法官即追问谁先动手打人？理发师当然指出是张，张无法否认。于是法官当庭对张大加申斥，说张既是教育厅主任秘书，负有教育人之责，怎么先动手打人呢。理发师虽然动手，但那是自卫还击。姑念张身负重任，从宽给予警告处分。理发师释放，理发店启封。

张主任秘书打输了官司，气得泪流满面回厅。时厅长见状，大为不平，又向张难先请援。张非常气忿，批评法院故意刁难，与人难堪，于是再电话警察局封闭了理发店，拘押了理发师。一时满城风雨，舆论大哗。

事闻于李书城。他不坐滑竿，拄着拐杖从城外步行到民政厅。张难先正伏案批阅公文，李大喝一声："好一个张难先！你身为民政厅长，不察民情，一再滥用职权，关押理发师，封闭理发店。当厅长的敢违法，我也犯点法！"说罢，就朝张难先背后打了几拐杖。张大叫："李书城无理！"隔房的主任秘书闻声赶到，李书城已拄杖而去。

谁知李的不辞而别，倒使张难先难过起来，不仅怒气顿消，反而风趣地对主任秘书说："昔蒋先生不愿攘外，张、杨以兵谏；今我张难先有错，李书城以棍谏。手法虽不同，而用心之好是

一样的。”语毕，即令秘书打电话警察局放人启封，并要时子周劝告张主任秘书不要再追究了，说我张难先为张事还挨了两拐杖呢。

隔日省府秘书处例会，张难先会到李书城，相视而笑。李书城随问打伤老骨头没有？张答：“衣服穿得厚，伤皮未伤骨。希望以后犯了错误重点打，使我知道痛才能改。”两人有说有笑。可见两位老人胸襟豁达，心交深厚，足为后人楷模。

李书城正言斥陈诚

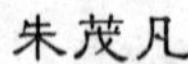

朱茂凡

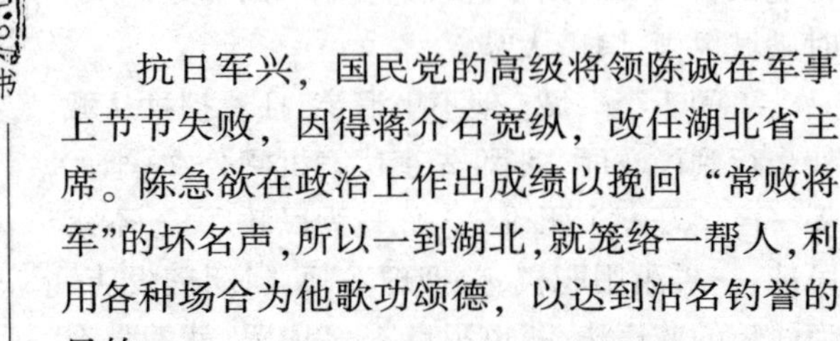

抗日军兴，国民党的高级将领陈诚在军事上节节失败，因得蒋介石宽纵，改任湖北省主席。陈急欲在政治上作出成绩以挽回“常败将军”的坏名声，所以一到湖北，就笼络一帮人，利用各种场合为他歌功颂德，以达到沽名钓誉的目的。

一次，陈诚由重庆回到恩施，通知党政军首脑到省府秘书处开小型座谈会，意欲各机关首长将他表扬一番。省通志馆长李书城应邀出席，会上，省党部主委苗培成，对陈诚为国勤劳、施政方针等大加称颂，并把陈诚与张之洞督鄂相期许。李一向推崇张之洞，忽然听到有人把陈诚与张之洞相比，感到恼火，举手要求发言。他说：陈主席今天召集座谈会，是要大家来献计献策，应兴应革，并非要我们来歌颂一通。如果把陈主席与张之洞打比，我感到有点不伦不类。彼何时也，此何时也，那是专制时代，这是民主时代，那是承平时候，这是动乱时候，事实上不可能一样。我感到陈主席在湖北敢作敢为，办事魄力很大，惩治贪污，抑制豪强，这些我也是举双手赞成的。但办案要经过调查研究，要经过审判程序，如果以手令代替法律，以好恶或一句话决定人的生死，那不是违法乱纪吗？且办小的，不办大的，有关系的人让他跑了，或把要案化为乌有了，其何以安人心而伸法纪呢？良药苦口利于病，忠言逆耳利于行，兼听则明，偏信则暗，古有明训，希望陈主席在这些方面有所改进那就好了。

李书城一席话，说得会场鸦雀无声，在座的无不心悦诚服，一些准备继续唱赞歌的，听了李书城发言，亦不便继续发言了，使会场冷场了好一会。只有苗培成面红耳赤，而陈诚强颜为欢，表示虚心接受。他见势不妙，即令散会。李书城退席时，陈诚还亲自送出院门，并吩咐轿夫好好侍候李先生回去，还目送一会，等轿子看不见了，才返回秘书处。

事后据主任秘书刘慕曾透露，秘书长刘千俊为此挨了陈一顿训，并责成以后不要开无准备的会，会上何人发言，亦要事先作好安排。发

言内容，也要事先摸底，做到心中有数，使会开得不冷场有效果云云。

李书城评湘西“大捷”

王启胤

1943年春，日寇进攻湘西受阻，陈诚借此大事宣传。他以第六战区司令长官兼湖北省主席的身份，在恩施召开了盛大的祝捷大会。各机关团体、部队、省干训团学员及大专院校学生都参加了这次大会。

陈诚在会上大肆鼓吹在湘西大败日寇的军事胜利和辉煌战果及自己的功绩后，时任湖北省通志馆馆长的李书城当即接着讲话说：我从来未见过这样的大捷，军事上毫无准备，致令敌人长趋直入，践踏我大好河山，湘西人民生命财产遭受惨重损失。最后仅仅由于偶然的机会，孙连仲的警卫部队突然与敌遭遇，才阻住了日寇的继续深入。瞎猫子碰到死老鼠，这哪里算得上是大捷。我们不希望再有这样的“大捷”。李书城的讲话，使听众为之咋舌。陈诚面红耳赤，默然无言。

冯玉祥生日念母

溆　滨

人们大多把自己的生日当作欢乐的日子，这是可理解的；但也有把自己的诞辰当作“母难日”来纪念的，冯玉祥就是如此。

据他的女儿冯弗伐说：每逢生日，他不见客，不吃饭，后来上了年纪，饿了头发晕，改在晚上吃一餐。1945年他在重庆时，曾写一篇《十月怀胎》刻在碑上，永作纪念，碑文如下：

娘怀儿两个月才知其情，
娘怀儿三个月饮食无味，
娘怀儿四个月四肢无力，
娘怀儿五个月头晕眼眩，
娘怀儿六个月提心吊胆，
娘怀儿七个月身重如山，
娘怀儿八个月不敢笑言，
娘怀儿九个月寸步难前，
娘怀儿十个月才离娘怀。

冯玉祥把自己的诞辰当作“母难日”，这是他从其母“十月怀胎”的辛苦中体会出来的，表现了他至诚至孝的思母心情。

冯玉祥妙喻壮群胆

熊泰宇

1939 年夏季一个星期日的清晨，成都中央陆军军官学校全体官生近万人，迎着朝阳齐集在北较场的中正堂前，举行“总理纪念周”。教育长陈继承特请正在成都视察的军校校务委员冯玉祥将军来校作“精神讲话”。那时我正在第十六期第一总队步兵科学习，参加了这次纪念周，因而有幸聆听到冯氏的讲话。

纪念周在雄壮的军乐声中开始，冯玉祥将军出现在主席台上。他身材魁梧，讲话声如洪钟。仪态庄严，一派大将风度，令人敬畏。他身经百战，善于治军。他说：“抗日战争已经进入第三年了，日本不可怕，抗战必胜。”在讲到日本飞机不可怕时，他说：“现在日本飞机天天来轰炸我们的后方，你们注意防空，这是应该的。但不要害怕。”他独出心裁自问自答地说：“你们想，日本的飞机有天空中的飞鸟多吗?肯定没有。天空中飞鸟的粪落到你们头上没有?也没有吧！既然天空中飞鸟的粪都没落到你们头上，那么日本飞机投下几枚炸弹不是和鸟粪一样，又有什么可怕的呢?”……他又说：“你们毕业后都要带兵上前线，去和日本鬼子作战。士气，在临战时是至关重要的。作为一个指挥官，要善于抓住一切机会利用各种方法激励士气。以打机枪来说，就可激励士气。”他说：“日本鬼子打机枪点射时常是三发，即‘啪、啪、啪’，听起来好像在问：‘怕不怕。’而你们叫士兵只射两发‘啪、啪’，好像是在回答他们‘不怕’，这样既激励了士气，又节约了子弹。”

冯玉祥将军的讲话，言简意深，语重心长，同学们非常信服。他的这次讲话，等于给即将奔赴抗日前线的军校学生，赠送了一件强大的精神武器。

三夫人同台观礼

熊泰宇

抗日战争时期，孙夫人宋庆龄、孔夫人宋蔼龄、蒋夫人宋美龄三姊妹曾联袂到成都，并一同观看了中央陆军军官学校第十六期第三总队毕业的阅兵大典。当时，我正在第十六期第一总队步兵科学习，因而有幸目睹三位夫人同台观礼的实况。

时间是1940年4月的一个清晨，晨光熹微，全校各总队官生近万人，身穿节日服装，秩序井然，陆续进入北较场阅兵台前，伫候第十六期第三总队毕业典礼的举行，并接受蒋校长的检阅。

八时左右，雄壮的军乐声在阅兵台前响起，远远看到蒋校长身着黄色戎装，从阅兵台后走来，和他同行的是身穿青色旗袍的三位女士。这时队长告诉我们："和校长同行的三位女士是国母孙夫人和孔夫人、蒋夫人，今天她们同来观礼。"他们行至台上，校长礼貌地请孙夫人站在阅兵台的正中，其他两位分立在两旁。校长自己站在她们的右前侧。看到上述情景，同学们的心情都很激动。感到今天能见到国母孙夫人，非常荣幸。

典礼开始后，校长骑马绕场阅兵时，三位夫人站在阅兵台上，观看阅兵场上的一切。阅兵结束，分列式开始，以队为单位，排成方队，赓续按规定距离，以正步通过阅兵台前，在"向右看"的一瞬间，因近在咫尺，三位夫人的仪容笑貌看得更加清楚。站在前面的孙夫人，雍容大度，和蔼端庄，她正聚精会神地看着我们的队列从她面前通过。她那饱含深情的希望目光，给我们留下深刻的印象。典礼进行三个多小时，三位夫人始终站在阅兵台上，精神饱满，毫无倦意。

在这伟大的全民抗战最艰苦的时刻，三位夫人走到一起来了。今天又同莅军校观礼，这对我们这些即将投身到抗日洪流中去的军校学生来说，无疑是巨大的激励和鼓舞。

蒋介石两次堕马

梁言

由于坐骑受惊，蒋介石生平两次堕马。

第一次发生在北伐前夕蒋氏以北伐军总司令身份检阅驻长沙的七、八两军时，已载《李宗仁回忆录》，恕不赘述。第二次是1944年检阅驻西安的第一军第一师时发生的。这次堕马，情况较为复杂，控制外传，罕为人知。

蒋纬国于抗战后期留学回国，蒋介石把他安排在自己最信得过的第一军第一师当连长。其实也不过"蜻蜓点水"，落脚而已。纬国之到来，上自战区副长官胡宗南，下至集团军、军、师各级部队长，无不分外高兴。但没过多久，麻烦就来了，"军风纪问题"、"部队'吃缺'"等问题，军委会都来令查询，甚或责难。空穴来风，其必有因，将领们当然清楚是二公子报告的反应。作为战区长官，胡宗南特别惴惴不安。

蒋介石屡接次子密报，开始对该部产生了怀疑，再加对纬国在那里的情况也放心不下，才有西安之行。胡宗南突然接到蒋介石要来西安检阅部队的电报，既忧且喜，急忙令调第七分校练习团替换该师部分老弱；指示第七分校骑兵科负责调配各阅兵官坐骑，对蒋介石的乘马挑

选更为严格，经过多次筛选才相中了第一师师长李正先的一匹枣红马；为策万全，还作了几次预检，总算放下心来。

蒋介石及随从人员飞抵西安后，稍事休息，即开始检阅。蒋氏一马当先，按辔徐行，看到军容整肃，颇为高兴。正当他顾盼自豪时，军乐高奏，敬礼口令此起彼落，该马虽“骏”，但何曾见过这等阵仗，一时惊起，前伏后蹶，竟将蒋氏颠下马来。胡宗南远隔数骑，搀扶不及，幸得左右侍卫及时扶起，才没被马踩伤。为了维持尊严，蒋氏强忍剧痛，勉强“骑阅”完毕，连预定的“分列式”也取消了。他本想检阅完毕即到第七分校训话，然后小憩两天，旧地重游一番。此事发生，心中老大不快，于是率领随从，灰头土脸，飞回重庆。第一战区及陕西省府文武百僚深感没趣，胡宗南和蒋纬国的心情更是可想而知。

蒋氏两次坠马，相隔十八载，情形如出一辙。

布衣卿相

舒　涂

1948年初夏，南京国民政府召开行宪第一届国民大会。居正与蒋中正竞选中华民国总统，有“助选团”为居宣传，所发传单中有称居“是真布衣卿相、民主斗士”之说。对这“布衣卿相”的称号，居之故里广济(今武穴市)的一些人士，多表赞同。

据广济有关人士追述：居自民元以来，曾多次返梓省亲、扫墓。每归里，均布衣长衫、布鞋布袜，穿戴相当简朴，“从未少变其朴诚本色”(《居正文集》下册572页)。

笔者曾专访过居正之侄孙女居曼娜女士(现武穴市政协委员)，问渠以居之布鞋布袜何来。曼娜女士曰：“叔祖崇尚简朴，习惯于布衣布鞋。其布制鞋袜，多出于大姑仲吉之手。”仲吉者，居正之侄女，系其二兄所出。又谓：“大姑(指仲吉)持斋信佛，心静手巧，工针线，尝偕叔康、季复等姑辈为叔祖精制布料鞋袜，供叔祖穿用。”

手工布鞋布袜，加上一领蓝(灰)布长衫、一顶礼帽，几乎成为居正之日常穿戴。其所以如此，或与居儿时“最苦家无斗石储”，及长习孔孟之道，攻程朱之学，到老笃信佛教，澹泊为怀有关。

辛亥大汉铜币

白汉贞

1911年（辛亥）10月10日革命党人首先在武昌发动起义，各地革命党人纷纷响应，建立了革命军政府，定国号为中华民国。为取代清末机制铜元——大清铜币，铸造了一种纪念辛亥革命的铜币，即著名的"大汉铜币"。

首先是江西省铜元局铸造的一种纪念币，正面居中铸"大汉铜币"四字，中心有一阴文"赣"（江西简称），上沿铸"江西省造"，下沿铸"当制钱十文"，左右两侧铸干支纪年"辛亥"二字。这个图案表明辛亥革命成功，财权已归国民所有。

背面的图案更有特色：外圈为九大星，内为九小星，合为十八星；中心为一很小的太极图。十八星代表十八行省。武昌起义后，曾以此十八星为图案制成旗帜，称“铁血十八星旗”，作为中华民国国旗，在湖北、江西等省悬挂。这种以铁血十八星为图案的辛亥大汉铜币，正是辛亥革命的珍贵文物。

由于铸造期短，存世极少，实为中国稀有铜币之一。抗战前我祖父手中曾藏有一枚，战乱中未能保存。

我所见到的“神兵”

胡　挠

20世纪二三十年代，由于军阀混战、团防割据、国民党的压迫，鄂西地区各族人民备受蹂躏。在忍无可忍的情况下，人民以“神兵”的名义，组织自卫，进行反抗斗争。神兵不断发展，遍及鄂西各地。此种神兵以后逐渐分化，有的被团防所利用，有的跟着共产党闹革命。

我所见到的神兵，是宣恩小关乾善统联英会的余部。1929年乾善统参加红军以后，留下余部，继续进行反对国民党的活动。1935年，我十二岁时，联英会常在我们院子里练武。参加联英会的会众很多，但“天神附体”的只有几人。他们是齐天大圣、猪八戒、沙和尚等。一次看到一个会众，大喊一声“大圣来也”，当即脸色发白，周身颤抖，以猴子的姿态跳跃。时而用刀砍自己的腹部，时而踩刀，时而滚刀(即把几把大刀放在地上，刀口向上，在刀口上踩，在刀口上滚)，时而鹤鹰闪翅，即人伏在梭标上，刀尖着肚皮，周身悬空，手脚屈伸自如。打仗时，几个“神兵”冲锋在前，会众头缠红巾，紧随其后，刀枪不入，勇猛向前，行动异常迅速，一些军阀以及国民党部队见此，往往不知所措，崩溃逃散。

但“神兵”有时也会发生事故，如“齐天大圣”一次在做“鹤鹰闪翅”时，梭标穿通了自己的侧腹。在打仗时，“神兵”也有被子弹打中而阵亡的。鄂西神兵在二十年代，曾打败靖国军，并消灭一个师，三十年代也曾数次打败国民党的军队，但最后还是失败。其降神可能是气功中的一种导引作用。其踩刀、滚刀等法，可能是物理作用。

杨立生资送萧楚女脱险

牛孺子

民国初年，襄阳城内有一位儒医叫杨立生，他处方虽仅三五味药，却能治好疑难杂症，求医者门庭若市。此人前清秀才，平日钻研老庄，笃信佛教,有出世思想,常与和尚道士为友,游离于现实斗争之外,寄希望于虚无缥缈之中。

1918年,具有民主主义思想的刘泥青出任设在襄阳的湖北省立第二师范学校校长。他效法北大校长蔡元培的"兼收并蓄"教学方针,聘请杨立生为国文教员。不久,萧楚女也至该校教授国文。萧深知杨在襄阳的社会地位,注意团结他以开展统一战线工作。常与另一国文教员秦纵仙至杨家闲聊,天南地北,无所不谈,但谈得最多的还是杨所信奉的老庄以及佛学。萧知道杨对现实不满,指出用持斋念佛办法以求超脱,是不切实际的;只有置身于现实中,大家起来干预国事,中国才有希望。由于萧与杨两度同事,多年相处,杨知道萧所进行的事业是正义的,逐渐树立了唯物史观,由一个旁观者转而支持革命。1924年军阀张联升欲逮捕萧楚女,杨得知此事,迅速为萧准备路费,送他离开襄阳脱险。

古刹广德寺浩劫

邹演存

广德寺位于襄阳县城西十三公里处,为汉唐名刹,原名云居寺。唐代襄阳诗人皮日休曾有诗咏《过云居寺玄福上人旧居》,至明朝弘治年间始改名为广德寺。民国年间,犹规模宏大,溪流环绕，溪边古树花丛点缀，使这一佛教胜地格外生色。

寺院从山门至藏经楼，经四大天王殿、斋舍、韦驮殿、斋堂、罗汉殿、大雄宝殿和鼓楼亭共八进。经楼后建有明弘治年间的多宝佛塔，它是我国南方现存的惟一独特形制的古塔。东西侧还有厨膳、仓储、僧舍等。抗日战争期间，襄阳县政府为避免空袭，选址在广德寺建立县初中。极盛时期有十五个班，学生近千人。当时学生均自带床板，搭置通铺住宿，钟亭、殿堂、神龛上下，一时均挤得满满，青年学子与菩萨为伍。入晚，小油灯星火点点，读书和谈笑之声不辍，蔚为奇观。

1941年秋，襄阳县政府为了扩大班次，县长戴仲明亲临学校视察，作出拆毁佛像的决定，于是古文化面临一场浩劫。全校师生一齐行动，所有龛台神像全部拆除。我们一年级的同学负责扳掉二米多高的十八罗汉，把绳索朝泥像颈上一套，三五人齐力扳拉，便把它从高台拉倒在地，殿宇尘土弥漫。拉倒后大家发现泥胎背后洞里，塞有彩丝线、黄表纸、檀木块、铜镜、经文等，据说这是菩萨的五脏六腑，还有厚本的黄表纸楷书经卷。如巨像佛祖、天王的腹穴里所藏就更大更多。数十尊金身、彩塑像，高者近十米，须有十几个学生拉，其硕大形体可以想见。祖国的文化艺术、宗教宝库里无可估价的宝贵遗产，就这样毁于一旦。

延安时期日用品琐记

章　涌

1942年，陕甘宁边区开展大规模生产运动。其间，边区军民相继建立了大光纺织厂、大光肥皂厂、造纸厂、被服厂、鞋厂等十几家工厂。

大光纺织厂生产的布匹有几十种。用的染料是黑格兰树根皮制成的黄绿色，以及杏树根、高粱帽熬成的黄色、红色。

边区军民用的日记本是造纸厂生产的。大小两种，封面均是金字布壳。大日记本上，毛泽东题有"力求进步"；小日记本上，毛泽东题有"联系群众"。纸张是"麻纸"和"马兰纸"。"麻纸"质地较好、可用钢笔书写。

此外，边区军民用的毛巾是大光牌粗纱毛巾，毛巾两头均印有"大光毛巾厂"等字。另有大光牌肥皂，以及抗战牌香烟等。

这些日用品，当时除供军民自用外，还在市场上出售。商业机关是大光商店，下面设有十几个分店。

佛学与球赛

王启胤

1943年春，设在湖北恩施的湖北省教育学院举行的一次“总理纪念周”上，学院领导请李书城作学术讲演。李信仰佛教有年，当时讲了佛学精义。接着，体育教授为篮球比赛优胜者发奖旗，体育教授并说：听了李老先生的学术讲演“清静无为，与人无争”。看来我们为竞赛优胜者发奖是庸人自扰，确实是无多大意义的事。

李听后，马上纠正说：佛学从宏观和根本意义上说，是宇宙间最积极的学说，它普救众生、拯救生民于衽席，是最为积极的。在微观上，在对待现实生活上，则要求一丝不苟。在人生舞台上，扮什么脚色，便要像什么角色。戏台上，演员演父子要像父子，演夫妻要像夫妻，不能有一点含糊。你们赛球，为优胜者发奖，还是必要的。听后大家颇受教益，再次为他的讲话热烈鼓掌。

川江夜渡

黄昊松

江口镇，是四川彭水县西边的一个山区小镇，川湘公路的中途宿站和重点渡口。紧傍着该镇的东边，是芙蓉江与乌江的汇流处，故名“江口”。芙蓉江两岸高山耸立，水深流急，暗礁又多。川湘鄂公路汽车，必须由此上渡船过渡，所以公路管理部门规定严禁人、车夜渡，以保安全。渡口东面仅一个川东养路段驻此，负责养修公路，管理渡口，公路汽车站设在该镇的西边山地。我时任汽车站站长。

1943年，一个北风怒号、雨雪交作的夜晚，我忽接到渡口东养路段电话：“我们是恩施长官部来的两辆军车，要连夜赶赴重庆。车上有苏联人三个、枪兵一班，养路段张段长碍于规定，不敢开渡，怎么办?”这是长官部官员的焦急口音。

“这是张段长的权限，我不能过问，请与张段长慎重商量。且渡口暗礁又多，风雪交加之夜，他也确有实际困难。”我这么回答。

“请你与张段长谈谈吧！我们一定要连夜赶赴重庆参加明日的军事会议。”长官部官员有点不悦。

“张段长，他们的军务紧急，你明白了吧！你

和我的困难，的确太大，责任更不待言！我看国难当头，军务大事，不解决是不行的。不过暗礁是死的，人是活的，你们的渡工老手多，经验丰富，只要多加小心，这两百米宽的渡口，可能平安渡过的。我提两点建议：一是你我两家全部职工连同各个家属，可有百来人，还可唤起少数附近百姓。同时我可要求驻地的保安排保卫治安，大家各持干废的篾缆子，浇上桐油，火把、马灯，使渡口两岸尽量照明。二是听哨音一齐动作，先派渡船试渡，到西岸把我渡往东岸，然后我陪同他们人、车一起上船开渡。现在已八点多钟，我们积极准备，九点半钟一齐出动，听哨音指挥。"我委婉地提出了办法，说服了张段长。

"只好照你的办。"张段长同意了。

霎时，渡口两岸，男女百来人，手擎火把、马灯，照明如昼，哨音、人声，山鸣谷应。人车上船后，我对翻译说：请苏联人和兵士下车，以防万一。时雨已稍停，风雪继续呼啸。不久，安全到达西岸。大家欣喜若狂！抵车站后，以大盆木炭火，烤衣取暖。苏联人要进餐，夜间无处购菜，我商同厨房和家属，煮一大锅红苕稀饭，一大钵四川泡菜，和霉腐芋等，以饷佳宾。他们吃得津津有味，并畅饮自己带的白酒。在吃喝时，一个穿长纹皮大衣的苏联军官高兴地送我一张名片，上面是"第六战区炮兵顾问——马尔弗科夫"。他向翻译问了我的姓名、职称后，连说："谢你的支援，谢你的招待。"饭罢，握别登车，往重庆驶去。

他们去后一周左右，车站忽接到重庆交通部《交通通讯》,其中一段云:部长曾养甫出席中央军事会议，听得第六战区的苏联顾问介绍夜渡江口情况，因此对江口汽车站长黄昊松应予传令嘉奖，云云。只是将我的名字“昊”写为“嵩”,错了。

徐剑魂投诗见居正

舒　涂

1947年春夏之交,国民党元老、司法院院长居正,由南京返故里广济(今武穴市)探家,乘江安轮西上,同船有广济籍青年徐剑魂(现武穴市政协常委)欲求见,苦无由。徐灵机一动,成律诗一首，托居之随从呈览。诗曰:“甫卸征装乡思浓,归帆何幸共乘风。梅川竞秀迎嵩岱,刊水争流拜牯峰。国事蜩螗邀力疾,孝思弥笃溯宗功。才庸我愧桓桓士,但愿瞻韩不愿封。”居阅诗后乃召见、让坐,并留饭于船舱之中。谈话间,居问:“何出身?”徐答:“黄埔军校。”又问:“高就?”答曰:“在杜聿明部下服役,甫卸征装。”居听后勉慰再三,连称“后生可畏”,并约徐抵广济后“再会”。

及抵广济(武穴)之后,居正果然不忘这位“后生”,着人送戏票一张邀徐看戏。徐如期到武

穴蓉城书院，陪居正看京戏一场。

据徐剑魂回忆：居止当时衣着俭朴，穿浅灰色芝麻呢长衫，着布鞋。平易近人，有长者之风。

胡正谊教唱“茶馆小调”被逐

文　华

1948 年秋季晴川中学开学以后，新到了一位音乐老师。他就是号称“鄂西口琴大王”的胡正谊。

胡正谊中等偏上身材，生得结实富态，眼微眯，留唇髭，口大，善面部表情。在学生组织的晚会上，他的节目除口琴独奏外，必有变像表演，我就曾见他扮过希特勒头像，维妙维肖。

胡正谊本为荆州师范教师，此次来晴川中学任教是应该校校长丁瑾之聘。他的到来，活跃了学生的文娱生活，教唱了很多进步歌曲，什么“古怪歌”呀、“茶馆小调”呀，都是针砭时弊的歌，学生们十分喜欢唱。

一个星期五的下午，胡正谊正在二年级教室教唱“茶馆小调”。国民党特派员、晴川中学训育主任唐炳南背着手踱了过来，他阴沉着额边有一颗肉痣、瘦尖的脸，窃听着：

晚风吹来天气燥啊/东街的茶馆真热闹/楼上楼下客满座啊/茶房开水叫声高/

杯子碟儿叮叮当当叮叮当当响/瓜子壳儿噼里啪啦噼里啪啦满地抛/有的谈天有的吵/有的苦恼有的笑/有的谈国事啊有的就发牢骚/只有哪茶馆的老板胆子小/走上前来细声细语细声细语说得妙/诸位先生生意承关照/国事的意见千万少发表/谈起国事容易发牢骚啊/惹下了麻烦你我都糟糕/说不定一个命令连你的差事都撤掉/我这小小的茶馆也要贴上大封条/撤了你的差事不要紧啊/还要请你去坐监牢/最好是/今天天气哈哈哈哈/喝完了茶来回家去睡一个蒙头觉/老板说话太蹊跷/蒙头觉睡够了/越睡越糊涂啊/越睡越苦恼/倒不如干脆/大家痛痛快快地说清楚/把那些压迫我们/剥削我们/不让我们自由讲话的混蛋/从根铲掉

唐炳南听完，咬牙切齿，怒火中烧，一顿脚，走了。

从此，胡正谊在晴川中学消失了，他哪儿去了呢？

一天下午，在听完校长丁瑾训话之后，唐炳南对学生们说："胡正谊胆敢在我晴川中学宣传赤化。学校当局为了保护同学们，为了维护学校声誉，已将胡正谊逐出了晴川中学。"

“瓜子金”的传说

黄海鹏

在我的故乡湖北省大冶县栖儒乡黄世家村,流传着许多有关金子的故事。最古老的莫过于楚王撒金之说了。据说在春秋战国时期,不知是哪位楚王,打算在我们这里建都,却嫌此地土质浇薄,就派人在这里撒了三石六斗瓜子金。于是我们村子一带地方,就称为“楚王咀”。我们家乡的湖叫“金湖”,祖坟山叫“金星山”。并且由撒金又派生出许多离奇的故事。说什么在我们故乡的土地上有一副金犁金耙,经常在夜里出现。于是有些想得到此宝物的人,常在夜晚出来碰运气。其中有一个几乎被这金子的传说弄得入了迷的人,一天夜晚,他在月光下犁田,犁铧子在月光下闪闪发亮,他在朦胧中以为见到了金犁金耙,连忙拿起锄头狠力挖去,结果挖碎了犁铧子。当啷一声,猛然惊醒,已经后悔莫及了。还有人说,我家上几代有一位祖先,每天挑水倒在水缸里,可是一眨眼,这水就没有了,而水缸又并没有破裂的痕迹。他愤怒之余,一下子敲碎水缸,在水缸底发现了一个金罗汉。从此我家就发财了。这些,我们家的大人都是矢口否认的。

当然这些确实是虚构的、幻想的,但是也不

能说完全都是无稽之谈。以那个“瓜子金”的传说为例吧，我小时候在家里就亲眼见到长工在挖红苕时拾回一粒，而且其状确如“瓜子”。据说本村和邻村也有人拾到这样的“瓜子金”。

于是这些古老的传说，就世代相传，成为众人不断探究的谜语。如今，这个谜语终于揭底了。经勘探部门测定，在我们村子附近，是一个蕴藏量极为丰富的大金矿，有关部门正在着手开采。那些“瓜子金”就是露在地面的碎金矿石。

神秘的故事失去了神秘的光环。然而我的故乡确确实实是布满了黄金的。

夷陵曹操庙之兴废

殷小英

元仁宗延祐元年(1314),夷陵(今宜昌)为曹操修了庙,但三年后就被拆毁。当时唐肃在《毁曹操庙文》一开头就说:“操之不臣于汉,天下后世莫不知之,而夷陵独有庙。夷陵之民皆愚耶?”问得有些辛辣。不过,天下给曹操修庙的确还未发现第二例,就连曹操故乡安徽亳县,也没有人敢给曹操修庙。曹操虽在宋人评话和元人杂剧中被渲染成奸臣形象,却也偏偏在夷陵一隅享尽风光。

据记载,曹庙依山傍泉,松柏森森。庙里塑

有曹操全身像,晨钟暮鼓,四时香火不绝。可惜好景不长，延祐三年，山南江北道宪司巡历夷陵,此公偏好游山逛水,循泉而至后山,见曹操庙,大惊,一代奸相,居然还躲在这里让人顶礼膜拜,是可忍孰不可忍。同行书记官申屠善窥长官意识,建议拆除。于是宪司一声令下,天下惟此一家的曹操庙顿时便成了一堆瓦砾。申屠官卑职微,本来名不见经传,却因拆毁曹操庙而名声鹊起,一跃而成为不少诗人讴歌的对象。

元诗人成延圭一首古风，开头两句便骂曹操:“西陵归来忽千古,操也何德称魏武”,接着便嘲讽“黄牛峡口不曾来,亦有巴人建祠宇”。倒也是,三国时期,夷陵是蜀吴争战之地,曹操麾军南下,鞭梢所指也只到襄樊当阳一带,从未到过夷陵。夷陵人(夷陵多巴人后裔)怎么在城后深山给他修了一个庙宇呢?结论自然是夷陵人“愚”。幸亏申屠君创此毁曹操庙的丰功伟绩。

成延圭诗不胫而走，曹庙遗址随之也热闹起来。各路文人纷纷寻迹而至,或写诗或作文,感时抒怀,吊古伤今,照例是骂曹操、颂申屠,然后再嘲讽夷陵人愚。夷陵人为修曹操庙算是倒霉了!

曹庙遗址大约是找不到了。野史记载,有夷陵某大户见夷陵人常因曹操庙而挨骂，恼羞成怒之余，在一个月黑风高的夜晚带众子弟把曹庙遗址埋个精光，然后栽上树，经年便郁郁葱葱,和漫山遍野的蛮荒老林混成一片。于是,有关曹操庙的诗文便再无续篇，可惜!

宋埠郝家铺教案

丁永淮

清末光绪年间，瑞典传教士梅保善、乐传道于麻城宋埠北门外郝家铺传教，勾引诱骗两名少女，引起群众强烈不满。光绪十八年(1892)五月十八日，当地庆祝大端阳节举行龙船会，两名传教士引着两名少女看热闹，受到群众围攻。继而退入教堂，关上大门，群众喊着“打洋人罗”蜂拥而上。农民徐全福、李金苟首先冲进堂内，两传教士爬上屋顶，顺屋脊往北跑，徐、李二人紧追不舍，地下群众亦紧追不舍。两传教士跑完十余栋房屋，无路可走，只得下房，被群众以乱石打死。这就是哄动一时的郝家铺教案。瑞典领事馆要惩办“凶手”，最终以赔偿银两了事。徐全福、李金苟投案自首，被县令张吉庆释放。

“黄冈四杰”雄楚楼抒志

刘作忠

1911年腊月，时称“黄冈四杰”的吴昆(汉口军政分府秘书)、刘子通(鄂东军政支部政务科长兼交际)、李四光(临时湖北革命都督府理财部参谋)、熊十力(临时湖北革命都督府参谋)邀约聚会于武昌雄楚楼。当时正是辛亥革命成功之初，同抱大志的青年志士们，意气风发，俯视大地，畅叙豪情，当即取来纸笔，泼墨抒怀。吴昆写的是李白《山中问答》诗：“问余何意栖碧山，笑而不答心自闲。桃花流水杳然去，别有天地非人间。”

刘子通写的是：“生而不有，为而不恃，功成而弗居。若有心，若无心，飘飘然飞过数十寒暑。”

李四光写的是：“雄视三楚。”

熊十力写的是：“天上地下，惟我独尊。”

后来有里人燕大明评论说：“四人所言，各断定其终身，盖谶言也。”

按吴昆几次革命，终告失望。晚年赋闲，饮酒消愁，1942年10月3日殁于恩施旅舍。死后无钱安葬，一直到尸体腐烂，才由友人王孟荪募资收殓。

刘子通终身从教，为中共最早党员之一。“有心”、“无心”，“飘飘然飞过”三十九个“寒暑”，1924年冬病逝北平。

辛亥功臣之一的李四光，厌恶宦途，终身“雄视三楚”，为我国地质力学、石油工业的发展奉献一生。

熊十力于护法失败后，转向学术之途，“出于儒佛而归于儒”，成为“天上地下，唯我独尊”的中国当代哲学界杰出人物。

詹光斗治盗殉职

朱九如

詹光斗字彤卿，湖北大冶县人。晚清以秀才考取拔贡，旋任知县，为官严明清正，乡人称其少年早发。辛亥革命后，仍继续在外服官，民国四年(1915)在四川泸州合江县任内，以治盗不苟，惨遭盗匪杀害，终年三十六岁。此事盛传于乡里，余少年时耳闻，熟知其情节。当时四川泸州各县，盗匪蜂起，啸集山林，出没无常，奸淫抢劫，掠财害命，无恶不作，人民受害不浅，恨之入骨，历任县令均无可奈何。詹到任后，志在为民除害，不畏强暴，对一巨案亲自出马，终于侦破此案，将盗首擒拿归案，亲自审讯，始知盗首系该县殷实巨户之子。此子兼祧两房，生父、嗣女俱殁，两母孀居。此子虽有家财，但从小不务正业，专作坏事，竟投身盗匪集团，充作头目。当其被捕后，其母挽求地方绅士出面求情，许以全部家财半数献于县官，但求保全其子不处极刑。詹公大怒，面斥诸绅士，即将盗首按律治罪，处以死刑。两孀妇见儿子已死，断了后代，即有家财也无用处，于是变卖产业，收买残余盗匪，谋害詹公复仇。是年冬，詹公于办理此案完毕后，回原籍探亲，在大冶黄石港小住旬日。于返任途中，甫入合江县境，即被群盗包围，惨遭杀害，人皆痛之。

李四光怒打英国兵

来层林

1924年，李四光教授带领北大地质系学生来三峡实习。刚到宜昌，看见街上围了一群人，又听到用英语骂人的声音。李四光精通英语，觉得不对头，很快挤进人群，只见一个黄包车夫跪在地上，两个英国水兵对他拳打脚踢，骂他是蠢驴，是东亚病夫。李四光火冒三丈，举起双手左右开弓，打了两个英国水兵几耳光，还用英语骂他们是野兽，是无耻之徒。两个英国水兵被打得懵头懵脑，等他俩醒悟过来要还手时，学生们已拿着地质锤把他俩包围了。两个欺软怕硬的英国水兵见势头不对,连忙挤出人群逃走了。围观的人鼓掌喊道:“好! 这位先生给我们报了仇,雪了耻! ”李四光扶起黄包车夫问道:“他们为什么打你?”车夫说:“他们坐了我的车,我向他们要钱,他们就打我骂我,蛮不讲理。不是先生救我,我这条命就丢在洋人手里了。”说着就要跪下谢恩。李四光拉住他说:“不要这样,我们都是同胞兄弟,这事是我应该做的。”

李四光预见成事实

涂子开

今天的张渡湖农场, 原是个芦苇丛生的旷野湖,很少有人来这里。那时从汉口下游的阳逻到回龙山,要走张渡湖鹅黄渡处搭船。湖大渡船少,驾船人总是撑到湖中间要钱,钱不够就剥衣裳。

三十年代的一天,李四光从汉口回回龙山,也坐这船过渡,当渡船撑到湖中时,也是如此,李四光见此情景说:“这个渡摆不长久的。”

当时船老板惊问:“先生, 渡摆到什么时候呢?”李四光说:“鹅断颈,马伸腰,张渡湖中长青苗,万盏明灯日夜照。”

张渡湖西有个鹅沟颈,形状像鹅的颈,湖靠南边有个马驿,形状像马背。

当时同船的人问："那么鹅颈边的泥巴洲将来不是要住人吗？"

李四光说："这洲叫大埠，将来上面的房子要修满。"

1970年，新洲、红安、麻城、黄冈四县农民合力苦战两年，将湖水排入长江，张渡现了底，鹅断了颈，马伸了腰，开发良田成万亩，大埠洲也成集镇了。

李四光四十年前说的话，全部实现了。

郁达夫夫妇在武汉

谈　瀛

1938年3月初，郁达夫到武汉，任军委会政治部第三厅设计专员，寓居武昌鼓架坡。我妻郑昌琼在巡道岭省立第二小学教书，郁的儿子恰好在她的班上就读。这孩子生长杭州，初到武汉，语言隔阂，听课有困难，有时还受到个别年龄较大的同学欺侮。有一天，郁的夫人王映霞带着孩子找到我家，自我介绍，并说"这孩子的父亲叫郁达夫"。我妻子当即招待她坐下来，谈了一阵，答应尽力予以照顾，她一再说"麻烦老师"，才告辞而去。她的风度和谈吐，给我们留下很好的印象。

不久，我与湖北省政府保安处军法室主任

曹秉哲偶尔谈及此事。曹说:“达夫夫妇几乎每星期天都来我家作客,你如想见达夫,就请在星期天到我家来玩。”原来,曹在杭州干了多年的律师,与郁达夫夫妇早有交往,曹太太又长于烹调,所以郁氏夫妇到武昌后,跟曹家往来更密切了。某一假日,我去小朝街曹寓,果然郁达夫夫妇都在那里,经曹介绍,我同达夫先生泛泛谈叙了几句,因为主宾都在准备打麻将,我稍坐即走。闻名多年,匆匆一面,以后就没有再见了。

7 月初,《大公报》(汉口版) 广告栏忽然刊登了郁达夫致王映霞的一则启事,开头两句是:“乱世夫妻离合,本属寻常。”接着又说:“汝与某君之关系及携去的细软……都不成问题。汝母及小孩等想念甚殷,乞告以住址。”我见报后,十分惊异,找曹问这是怎么一回事。曹才原原本本地告诉我事情的经过。曹太太同情王映霞,替她辩白,怪达夫神经质,疑心重,喜怒无常,经常触王的痛处。曹还告诉我:“我们正在进行调解,可望重归于好。”果然,不过几天,《大公报》刊登了郁达夫的“道歉启事”,承认自己“神经失常,……诬指王与某君关系……全出误会”。这时候,战局越来越紧张,敌机频繁空袭武汉,省政府准备西迁,我也无心再打听郁达夫夫妇的行踪了。

郁达夫家信浮沉

谈 瀛

1940年，我离开武昌到长沙任职，获悉在武昌失守前两个月，郁达夫亲送夫人王映霞和一家老小到湖南汉寿暂居避难。郁原任福建省政府公报室主任，其时福建省主席陈仪来电催他返任。郁乃只身去福州，途中几乎每天都有信寄给留在汉寿的王映霞。后来，武汉失守，王映霞带着老小从汉寿到长沙，在长沙大火的前夕，仓皇挤上火车，行李衣物都丢失了，辗转到了福州，又随同郁达夫去新加坡，终于离异。这场悲剧，在新加坡、香港、重庆等地都已经传开了。

郁达夫寄给王映霞的信，都在王在长沙上车时遗失的小皮箱中。事后，衡阳铁路局公开拍卖无人认领的托运物件，友人燕孟晋在铁路局工作，近水楼台，发现了王遗失的小皮箱和箱中的信件，就买下了，视同拱璧。我去衡阳时，承燕君出以相示，使我得以亲见郁达夫给王的亲笔信几十封，内容既有辛酸的讽刺，也有亲切的关怀，极哀怨缠绵之致。燕君称之为“古今罕见的情书”。反复叮嘱，要我代为保密，不可外传。1941年冬，我重到恩施，会见在武汉时介绍我与达夫夫妇认识的曹秉哲，这时他正准备赴重庆，我把所见所忆告诉了他，只是没有说明信件现存谁手。曹到重庆后，晤见已从新加坡回国的王映霞，把这个消息透露给王。王急切想收回原件，托曹一再写信给我，求我设法代为索还，不能的话，就告诉保存者的姓名住址，以便另行设法联系索取。我因燕君叮嘱在前，考虑如以真情相告，可能给燕招致麻烦，不如等待郁达夫战后归来再说。所以就婉言谢绝了。万万没有料到郁达夫竟在抗战胜利之际惨遭日军杀害。至今四十多年，不知郁的这些书信浮沉何所。回首往事，为之怅惘不止。

此蒋非彼蒋，祸殃京山城

景　山

民国二十七年闰七月初五（1938年8月29日），日寇分三次出动飞机五十六架，把大洪山南麓的京山县城炸成了一片瓦砾。这个不足四千人口的山区小县城，被炸死二千多人，炸伤一千多人，炸毁九十多家，炸沉船只一百多艘，房屋六百多栋，尸骨遍野，血流墟头。

山城长不足六华里，宽不到一华里，既非关隘要塞，又不是闹市重镇，日寇为何要下此毒手呢？这要怪日寇的情报机关出了毛病。当时正值国共二次合作期间，在“组织遗贤野老全面抗战”的口号下，鄂中抗战军民在京山县组建了一个团结抗战的组织——抗战经理委员会，推举国民党县长蒋章骥为委员长，共产党方面派人和一些知名人士分任副委员长，共同处理鄂中地区的重要事情。这个“蒋委员长”就成了当时当地的头面人物。谁知日伪特务机关却把蒋章骥当成了国民党军事委员会委员长蒋介石。当时正值武汉失守，日寇以为蒋介石亲来鄂中指挥抗战了，这才出动大批飞机，毁灭性地轰炸了京山城。

讲土家话的遭遇

胡　挠

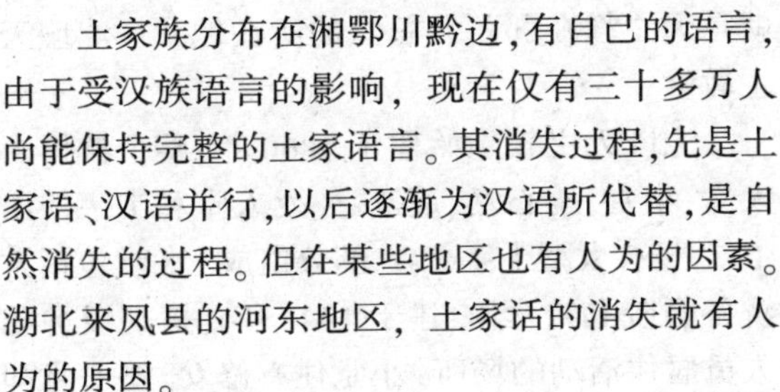

土家族分布在湘鄂川黔边，有自己的语言，由于受汉族语言的影响，现在仅有三十多万人尚能保持完整的土家语言。其消失过程，先是土家语、汉语并行，以后逐渐为汉语所代替，是自然消失的过程。但在某些地区也有人为的因素。湖北来凤县的河东地区，土家话的消失就有人为的原因。

20 世纪 40 年代，河东地区还盛行土家话。当时在相邻的湘西，由于国民党政府的横征暴敛，抓兵拉伕，群起反抗，以后逐步被恶霸、惯匪头子所利用，所以遍地皆是土匪。来凤与湘西相邻,所以土匪也多。40年代,国民党派“万安”、“竹山”的部队进剿,他们的作为比土匪还甚。其中驻在河东地区的部队,见到当地人说土家话,认为是土匪的暗语,就禁止群众说土家话。对凡是说土家话的就进行捆绑吊打,土家族群众遭到一次浩劫,从此当地人就不敢说土家话了。大人不讲土家话,小孩不懂土家话,加速了土家话的消失。

一张牛皮大的地建教堂

萧道德

位于谷城县紫金区茶园沟的木盘山，山高林密,荒僻而又幽静。这里有片西式建筑群,这就是天主教在鄂西北总堂的所在地——沈垭天主教堂。

沈垭天主教堂始建于1860年,整个群体由大堂、小堂、圣心堂、董圣堂、死人堂和十字架山(山上竖有大型十字架)六部分组成。大堂包括方济各会院和神学院(建于1944年),是高级神职人员居住活动的场所。小堂住有修女。圣心堂即经堂,是作弥撒、瞻礼的地方。其他则是带有纪念意义的建筑。

我因工作之需,曾多次前往沈垭天主教堂。听当年曾为教堂办事的李国成先生介绍，现在难以看到当年教堂的全貌。据传，教堂在修建前,仅有两间草房。现在的地基,原系当地望族胡某的祖坟地，山也属他所有。天主堂神甫求购,被胡拒绝。后来,神甫提出只买一张牛皮大的地,胡不便再推,签约应允。没想到,神甫将一张牛皮割成皮筋，连成一圈，偌大一片皆被圈进。故至今当地还有“沈垭天主堂只一块牛皮大”的说法。

“甲头照管”

邹演存

民国年间，襄樊街面上的店铺门前都贴了一张长不过二十厘米、宽约八厘米的红纸条,上面印着版刻黑字“甲头照管”,笔划显得格外壮。

“甲头照管”的招贴,一般人是很难理解的。有谁知道它背后却存在着封建把头的残酷剥削!“甲头”是管乞丐的头儿,他们按照各自的势力范围,把街道划段分管。本地或流入的乞丐乞讨,都要向他们拜码头、进贡,得到他们的恩准才可乞讨要饭。而各家店铺,惧怕化子恶棍强索硬要,每月都要向甲头儿交纳照门钱,取得一张“甲头照管”纸条张贴作保护。

有次,一个外地打莲花落(竹板)的化子在一间贴有“甲头照管”纸条的酱园门前要饭,好长时间店里才甩了一个铜板，掉入泥坑。化子捡起后唱道："康熙皇帝遭了难，跌了一身泥巴蛋。"仍坐在门槛上不走，唱个不已。因店主未再施舍，他又唱道："掌柜的、胖敦敦，坐在柜台里像龟孙。"一时引起口角吵闹。这时碰上甲头照门，叫来几个化子把他狠狠地揍了一顿，被赶出城。可见封建剥削把头的恶势力，在民国年间犹渗透在各个角落。

“盗亦有道”

余彦文

光绪年间，四川人杨葆初(寿昌)为黄冈知县数年，全境几无盗案。将去任，乘小轿往路口向友人辞行。才出城，突然轿帘一闪，鼻梁上的眼镜不翼而飞。杨默然。后挂冠上省城，有箱笼十余袋在船里。才出三江口，箱笼蓦然尽失。家人要向新县令报案。杨止曰：“不可，失物正自暴露，本人以前教化不良耳，于新县令何干！”

心里怏怏，催舟抵武汉，下了码头，即见所失箱笼尽放岸上。杨举目四顾，未见人影，仅留一字条说：“公作官数载，只余书籍十余箱，亦足见我公之清廉矣。前窃眼镜一副，兹特一并奉还。”还说：“公在任时，非我辈不能为盗，为我公之清名所感耳。”杨寿昌阅毕笑顾左右说：“小子志之，盗亦有道。”

在武昌，寿昌赁屋两间留居，以卖字为生。

袁世凯与宜昌石龙“庆瑞”

李啸海

乘船东下长江三峡，一出峡口，过南津关，登上南岸，沿碧水悠悠的楠木溪向南蜿蜒而上，迎面绝壁千寻，林木幽深，掩蔽着一个巨大的古洞仙府。步入洞中，但见洞壁上的钟乳怪石，生得曲身虬蟠，似龙如蛟。洞中还有“龙井”，“龙床”，“龙田”，“龙楼”，“龙潭”，“神龛”等等。此洞就是湖北宜昌市名传遐迩的“紫阳龙洞”，古时亦名龙王洞、灵洞、石门洞、神龛洞。想不到，袁世凯粉墨登基时，曾令党羽在这儿导演了一场“真龙出世，拥袁庆瑞”的大丑剧。

1915年，袁世凯决定恢复帝制，废除民国纪元，并定1916年为洪宪元年。袁世凯的幕僚们早就知晓主子这一盘算，到处为袁寻找登基称帝的“瑞祥之兆”。是年秋天，正当袁世凯在北京城加紧策划窃国称帝之际，宜昌的税官监督电奏北京、武汉，说宜昌的“紫阳龙洞”发现了“上古真龙”。以后被袁封为一等侯的湖北督军王占元,得悉此讯,立即派一名姓张的专员专程去宜昌察验。在王占元的宜昌驻军团长陪同下,他们打着火把,进洞探察。趟过几道水洼,忽见地上有一些屈卷盘绕的石脊,确像七八条龙相互绕蟠;再看洞壁,又有七八条钟乳石犹如隐形的龙,其中有一条身躯特长,观之,令人惊叫“龙王,龙王”!这伙“钦差”返回武汉后,禀报王占元,说紫阳龙洞是出了“上古真龙”。王占元喜不自胜,即刻奏报袁世凯:“宜昌的确出现上古真龙,首尾俱全,实为大皇帝开国祥瑞。”王占元并请令湖北省库拨银万元,敕修祠庙,册封石龙为“瑞龙大王”,改宜昌县为“龙瑞县”。袁世凯的党羽荆南道尹也急赴宜昌,导演“拥袁庆瑞”的闹剧,领头即席赋诗,广收官绅的和章,并令全县演戏三日,处处张灯结彩,庆贺“祥瑞”,一直闹到袁世凯粉墨登场。

其实,当时出版的《远东杂志》,就已披露了宜昌所谓“上古真龙”的真相。1915年10月,英国驻宜昌领事许勒德夫妇,与《远东杂志》社记者欧阳温夫妇,到了“紫阳龙洞”,实地看过洞中这些龙一样的怪石之后,认为是恐龙一类的化石,作了这样的纪录:洞中有恐龙化石六至八具,最大的一具,从庞然巨首半埋在洞壁中的某一丈量起,到这具化石尾身与另一具相接处,长约三十米。有一具两腿半露,腿脚与头颅相距四至五米。这些化石的头颅均巨大而呈扁形。他们将这些裸露的化石拍摄了照片，刊登在《远东杂志》上，同时根据他们观看恐龙化石的纪录写成文稿，也在该刊一并发表。嗣后，又将所写材料和照片分别寄给大不列颠博物馆和日本东京的专家鉴定，并致函北京的洋博士，请求转达给当政者，设法保护这些化石。

竟没有想到，袁世凯及其党羽借题发挥，由此演出了一场“真龙出世，庆瑞登基”的丑剧。

萧耀南“求雨”

刘凤翔

我家住在武昌县纸坊东湖村，六岁时，有一天父亲将我夯在肩上，随着村里人向纸坊火车站走去，去看督军萧耀南求雨。到那里时，看见万头攒动，人语嘈杂。忽然，汽笛长鸣，武昌开来的专车抵达车站。火车头两边，飘扬着五色旗。车门开处，身着戎装的卫兵前后夹着一胖一瘦的两人下车。旁边有人小声说：“那瘦长的是萧督军，胖子是鲁副督军。”背枪的卫兵维持秩序，不许看热闹的人近前。接着，正副督军由侍卫搀扶着上了轿。两乘大轿的四角都挂着宝剑，威风凛凛地向八分山抬去。上山的路上，也插有五色旗帜，严禁观看者进入山路。八分山上有座龙王庙，住着僧众，香火鼎盛。传说龙王可以施雨，所以萧耀南来此“求雨”。

萧耀南“求雨”之时，正是乙丑年(1925)大旱，他还在他家乡萧家大湾，用人民的血汗钱营建萧公馆，当地群众恨之入骨。有这样一首歌谣：“萧耀南，忘八蛋。坐湖北，大天干。盐加税，米加捐，拿白银，买红砖，做起房子三丈三……”更有甚者，江西省捐巨款为湖北赈灾，由江西军事督办方本仁代交。可是，这批救灾款竟落入萧耀南等人的私囊。萧耀南为了掩盖其罪恶，便演出这出“求雨”的闹剧。不久，贪污赈灾案发，在江西和湖北人民的追究下，副督军鲁德贵便做了替罪羊，服毒自杀。萧耀南竟逍遥法外，此案也就此了结。

萧耀南嗜吸鸦片、海洛因(吗啡)等毒品，其部下二十五师师长陈嘉谟别有异图，使人置毒药于海洛因中。萧吸后中毒，全身发紫斑，死于丙寅年(1926)。

萧耀南从逢迎吴佩孚发迹，在人民咒骂声中告终。有人撰了一副嵌字联讽刺他。上联嵌吴佩孚，下联嵌萧耀南。联云：

吴江枫落冷秋风，佩剑倚舻船，孚佑下民，破闸掘堤矜水战；

萧寺钟鸣惊夜月，耀威横卧榻，南征大将，冲锋陷阵伏烟枪。

曹锟一电感动吴佩孚

但　引

民国十一年(1922)第一次直奉战争后，直系首领曹锟驻节保定，吴佩孚开府洛阳，由于各种因素，一时有保、洛分家，直系破裂之势。曹锟鉴于影响严重，亲撰一电给吴，文云：

洛阳吴子玉弟：兄弟至亲，不如自己亲。你就是我，我就是你。锟。

吴接电后，深受感动，紧张关系自此缓和。

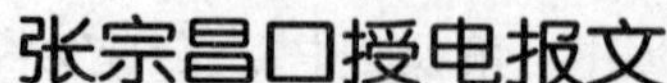

张宗昌口授电报文

但　引

民国十三年，第二次直奉战争酝酿期间，吴佩孚以同乡关系，向奉系大将张宗昌进行拉拢，密驰函电，约张倒戈打张作霖。张宗昌粗狂无文，口授致吴电文云：

洛阳吴大帅：你倒曹，咱就倒张，大家同当王八蛋。张宗昌。

言为心声，寥寥数语，如见肺肝，较之出自秘书手笔的咬文嚼字、引经据典的洋洋大文，要得力得多。

蒋介石被迫杀丁腾

牛孺子

1929年冬，蒋冯中原大战后，滇军五十一师师长范石生率部进驻襄阳，并兼任襄樊警备司令。因范与蒋介石有矛盾，常悠游于沪汉之间，军务则由少将参谋长丁腾主持。丁在此期间勾结土匪，坐地分赃，奸污幼女，滥杀无辜。他收编悍匪张恒金以下三百人为鄂北游击军，一次就枪杀苏区群众八十八人。这些事引起了人们的无比愤怒。曾追随过孙中山的国民党元老襄阳陶王岗人陶德琨、陶德瑶兄弟，为此事曾面诉湖北省政府主席何成浚。何碍于丁是顾祝同之亲信，未敢深究。二陶不得已又向蒋介石告状。蒋未动声色。

1932年10月，范石生部下一属员向襄阳名士杨立生透露了蒋介石到了汉口，并要视察襄阳的消息，杨当即邀约了富有正义感的律师庞敬三和爱打抱不平的马岐山商量状告丁腾事。推举娴于辞令的庞敬三赴汉，联系襄阳在汉律师王雪鹤，请敢于直言的国民党元老张难先亲递诉状于蒋介石。11月，蒋巡视襄阳，接见了各

界头面人物，又收到了不少控丁的密状，知道群众所告丁的情况全属事实，认为不处置不能平民愤。乃在第二天丁腾为他送行时，当即逮捕，带往武汉军事法庭扣押。襄阳旅汉各界人士怕事久生变，纷纷再告丁腾。并由被丁奸污的小学生所在学校的级任老师携带该生的入学注册证出庭作证。蒋在各方的压力下，被迫杀了丁腾。

冯玉祥电讯吴稚晖

谈 瀛

吴稚晖(敬恒)素性突兀滑稽，长于插科打诨，自比于进大观园的刘佬佬，又说他是用"乡下老晒日黄"的态度说话。在"五四"后的科学与玄学的论战中，他站在科学派一边，反对"玄学鬼"，嬉笑怒骂，都成文章，笔锋所指，论敌披靡。

孙中山先生逝世后，吴坚持反共立场，在国民党历次内讧中，他始终支持蒋介石。凡与蒋立异者，他就出面写文章、打电报，或发表谈话，庄谐并出，旁敲侧击，为蒋张目。被他骂得最多最尖刻的是汪精卫。但有一次却被冯玉祥骂绝了。

1930 年 3 月，冯从山西被阎锡山放回潼关，决定与阎联合反蒋。13 日，他接到吴稚晖自南京发来一电，劝他放下武器，以艰苦卓绝之精神，从事建设，将来"成功必不在禹下"，措辞很庄重。冯接电后，于14日亲拟复电云：

> 南京吴稚晖先生：顷接先生元(13日)电，回环读之，不觉哑然失笑。假如冯玉祥不自度量，复先生一电，文曰："革命数十年的老少年，不言党了，不言革命了，亦不言真理是非了，苍髯老贼，皓首匹夫，变节为一人之走狗，立志不问民众之疾苦，如此行为，死后何面目见先总理于地下乎？"岂不太不好看乎？请先生谅之！冯玉祥寒(14日)。

凭枪杆出身的一介武人，竟敢对当代"名流"，以其人之道，还治其人之身，一时读者无不拍案叫绝。

陈诚的生活细节

郭大风

一

陈诚治事，重迅捷。每日公文，除须待考虑查询者外，皆当日批示。交办事项，更不准无故拖延。1939年夏某日，时已午夜，余忽接陈电话，命我即赴公馆，并说已派车来接。及赶至，嘱整理其书架书籍，语毕上楼。我觉得事非急迫，可

待诸明日。正拟归,随从副官急止之,曰:“先是,曾着彭参谋整理,彭拟缓待明日,遂归寝。不意上司复来,见彭不在,大恚。故径呼汝来,汝安可去耶?”余闻之悚然,立即动手清理,理毕,天已拂晓。

二

陈诚生活节奏快。每早,随员集官舍,闻马刺声(陈诚皮鞋常带马刺),齐奔车房,急如救火。陈至,门立启,继则砰然紧闭,喇叭一声,即飞驶而去,节律之紧,间不容发。我常耽心车门会打断我的腿脚。车行之后,方说驶向何处,事前从不语人。一次在重庆,谓回访来渝之某总司令。副官不知其住所,而又不敢问。汽车盲目前行,至小梁子一带,循环往复,周而复始。陈觉有异,问之,方以实对,陈大怒,罚副官及司机立道旁,盛暑骄阳,汗流如注。陈诚坐车亦不胜其闷热,方归。嘱办事项,恒一言为是,不重复,左右亦不敢再问。某次回车途中,说中午请某某便餐。副官未听准,甚窘,遂翻阅会客登记,估定一人。余亟止之,以为不可。副官竟言:“错估遭斥责,再问亦申斥,一也。不若估之或可获中也。”余恐铸成大错,代为请示,方获解,盖其对文人较客气也。

三

陈诚性急躁,不耐等待。一次,在重庆南温

泉沐浴，随从人员见陈已解衣入池，皆抢时就浴，甫浸水，闻马刺声，群急起，陈已一人前行。汽车尾追至，不理亦不坐，仍前行，车慢跟，久之，始怒视左右而后坐。

又抗战前某次乘飞机赴宁夏，居留数日。随从参谋李则芬等以无事，闲游附近名胜，采购石砚。突闻天空机声轧轧，迅赶回，陈已乘飞机返南京。李等不得不乘汽车、火车循陆路归。故随从人员无有敢擅离左右者。

四

陈诚饮食甚俭，便宴宾客，亦不逾四菜一汤，无奇珍。厨师为近代美食家谭延闿所用孙厨师之子，陪嫁谭祥夫人来者。可惜孙师傅的高超技艺，被这位食不知味的将军埋没了。

陈治家亦严。抗日战争时住重庆上清寺求精中学何北衡公馆(何曾任四川省建设厅长)内。主楼三层，底层住卫士排、炊事员等，中层为客厅及随从人员办公室，谭祥率子女居上层。五十余人居住场所，肃静无人声。公私极分明，除特殊应酬，谭祥须偶入会客室外，未见子女家人越入中楼一步；除一贴身侍卫外，亦无一随从人员往三楼。时有子女四人，分由四个保姆照料，与公馆内其他人员无接触，更无所谓“少爷”、“小姐”之颐指气使了。谭祥相夫教子，不过问公事，以故无夫人路线可供人奔走。其对属下，宽而有礼，人咸敬之。

陈诚易动气,部下常战战兢兢。谭祥以柔克刚,恒化怨怒为祥和。故一入公馆,从员皆如释重负,知有夫人在,将军是不会发脾气的。

陈诚函揭孔祥熙

郭大风

原国民政府代主席、行政院长谭延闿与蒋介石相友善,为蒋、宋婚姻介绍人,曾以其三女谭祥托为照拂,并拜为宋美龄义女。以故陈诚与谭祥之婚姻,实蒋、宋介绍主持者。财政部长孔祥熙为宋美龄姊丈,按例为陈诚姨父。但二人志趣不一,几不相往来。孔夫人宋蔼龄为缓解紧张关系,曾电话谭祥,拉其入股做外汇生意。陈诚闻之,勃然大怒。其时我在陈处任职。他进入我的办公室,厉言:“给委座(指蒋介石)写封信,就说,迄今党内党外,对我财政当局表不满,居然要拉我老婆做外汇生意了。”我拟就信稿,陈亲笔书呈蒋介石。这是1939年春在重庆南杜市检查工作时事。

蒋纬国“约法三章”

杨　羽

抗战后期,蒋纬国留学回国,蒋介石派他到驻西安的第一军第一师当连长。蒋纬国下到该部当基层干部，第一战区副长官胡宗南及各高级军官无不为之高兴。

讵料事与愿违,纬国到不多久,麻烦却旋踵而至。尤其是未经法律程序,擅自下令枪杀一名赌博的班长,掀起了轩然大波,弄得他们几乎下不了台。

蒋纬国到职那天,集合全连,自我介绍,接着约法三章:“不准抽大烟(鸦片);不准赌博;不准‘轧姘头’,违者一律枪决,丝毫没有客气。”

那时,胡宗南部驻屯后方,师老兵疲,生活枯燥,时有赌博事情发生。特别是“关饷”后几天,有的连排长,甚至老资格班长,也邀兵同赌,深夜不散。

合当出事，就在蒋纬国当连长后不久的某晚,他带了两名警卫查营。发现大操场侧的一间小房,灯火通明,人影憧憧。他凑到窗口一看,室内十余人围圈而坐,呼幺喝六。一中年汉子发号施令,充当“宝官”。蒋纬国排闼而入,众赌徒惊得呆了。他逐个盘问,发现“宝官”竟然是他连上

的一名老班长，更加怒不可遏。喝令绑了，听候处理。

第二天早点名，蒋纬国下令将该班长枪决了。众官兵惊愕之余，愤愤难平，几至哗变。胡宗南听到这一消息，既惊且气，又不好把蒋纬国怎样，只得找来蒋纬国的上峰营团长狠狠地训斥了一顿。胡宗南还责成该师师长，厚葬死者，抚慰家属，安抚不平官兵。费了九牛二虎之力，总算把这件事敉平下来。未几，蒋纬国调离该部，到装甲兵当营长去了。

保定学生当“保长”，六尺男儿怀“六甲”

杨　羽

皖人罗士杰，保定军校毕业，长期在晋系商震部三十二军及二十集团军总部供职。1944年秋，王东原继任湖北省政府主席。王祖籍安徽，也是保定出身，因此之故，罗士杰前往投靠。次年春，罗被派往半沦陷区的江陵当县长。

罗到职不久，日军大肆“扫荡”，江北无处容身，乃率县府人员退到郝穴附近江心南五洲暂避。此洲弹丸之地，辖区仅六甲，地少人多，给养困难，勉撑残局而已。

是年夏，罗士杰赴省述职，他孑然一身，囊中羞涩，到达省府驻地恩施时，甚至连请有关厅局的“科秘”们吃一餐便饭的钱也没有。好在大家都知道他穷，并不介意，熟悉当时江陵情况的人还开玩笑说：“罗保长大驾光临，欢迎，欢迎。阁下只管六甲，不足一保之数，破格称你保长，还是照顾呢。”有的甚至说：“保定学生当保长，罗保长身怀六甲，分娩之日，我等定当隆重庆贺一番。”罗士杰啼笑皆非，闻者忍俊不禁。

孙连仲训话，留下打油诗

黄昊松

1945年初夏，湖北恩施“第六战区失学失业青年训导所”为了扩大社会影响，争取上级重视，特通过与该所主任有师生关系的战区长官部高参张志韩，请准了司令长官孙连仲到该所视察，并对学生训话。

一个风和日暖的上午，孙连仲一行十余骑，来到训导所。学生在大操坪里整队完毕，请孙连仲检阅训话。孙来到师生面前，勉励学生用心读书，锻炼身体，报效国家。谈到学生的生活时，说：“你们这里空气好，比其他学校风景好多了，芭蕉长成了树林子，多美呀！”又说：“你们的生活比较苦，每天吃青菜和渣(即豆腐渣，是恩施的

常菜),但是它的营养丰富,实际上,鸡、肉、鱼,并不养人,我是不吃鸡肉的,只喝鸡汤。"又说:"你们这里有好的山泉水,比街上好。我告诉你们,洗脸不要用手巾,手巾洗脸又脏又不经济。我洗脸一贯是用手浇水打肥皂洗,然后用干毛巾紧擦,非常舒服,你们学我的方法顶好。"全体师生听到这些话,肚里好笑却又不敢出声,只好相互以目示意,因为鸡汤、肥皂,他们都是久不见面了,是无法享用到的。

孙连仲走后,学生中很快流传一首打油诗:"不尝鸡肉喝鸡汤,能把芭蕉做屋梁;冷水浇头干布擦,沙场杀敌体坚强。"

汉口最早的新闻报刊

萧海涵

1840年鸦片战争后，列强乘机入侵中国。1858年6月签订了丧权辱国的《天津条约》，汉口被辟为通商口岸，成为英美传教士的文化侵略阵地。

1866年（清同治五年）1月6日帝国主义发行的《汉口时报》，又称《汉口泰晤士报》，由于是英文和教会性质的报纸，销路不见兴旺。继为广播教义，复于1872年（同治十一年）创刊《谈道新编》（月刊）杂志，负责主编者，一为沈子星，一为杨鉴堂。至1876年（光绪二年）停刊。以上为基督教会早期在汉出版的报纸和刊物。

国人自费创刊的第一种日报，据戈公振《中国报学史》载："我国人自办之日报，开其先路者，实为《昭文新报》。"

《昭文新报》，1873 年 8 月 8 日(清同治十二年闰六月十六日)创刊于汉口，由艾小梅主编。另据上海《申报》1873 年 8 月报道："汉镇创设《昭文新报》馆，盖亦仿香港、上海而作者也。"并谓："其所采录，则奇闻轶事居多，间有诗词杂作，与本馆新报亦属相辅而行。"

该报初用活字排版，白鹿纸印刷，为十折小型，创办时为日报。后因"阻于人言，惑于市道"，复以"人情未习，取阅者不能垒集"，遂改五日刊；其后仍以销路不畅与经费支绌，仅一年便告停刊。

但在半封建半殖民地的旧中国，《昭文新报》实开独立自主创国人自办报纸的先例，成为资产阶级民主革命时期中在武汉大造舆论的先驱。如辛亥革命前的《商务报》、《大江报》，及其以后的《大汉报》、《民国日报》，都是受它的启迪而发挥了巨大的作用。

梁鼎芬"书藏"开风气

海　客

梁鼎芬，字星海，号节庵，广东番禺人。清光绪六年进士，授翰林院编修。中法战争中，因疏劾李鸿章有"六可杀"之罪，被贬归籍。张之洞任两广总督时，他应聘主讲丰湖、端溪、广雅书院。张任两湖总督时，他又应邀入幕，主讲两湖书院，并参赞湖北学务，成为张在湖北兴办学堂、改革教育的得力助手。后经张保荐，擢任湖北按察使。终因弹劾奕劻、袁世凯，奉旨申斥，引疾告退。辛亥革命后，他继续效忠逊清，任溥仪的师傅，参与复辟活动，受到舆论的谴责，郁郁以终。

梁生平嗜好收藏图书。书斋名称，随时因地而异。早期寓居北京米市胡同，因该地曾有隋朝勤治经学的何妥，字栖凤者住过，他借以自况，署"栖凤楼"。后为其友陈树镛改题"毋暇斋"，也是寓意勤学之意。在武昌寓居水陆街时，自题书斋名"食鱼斋"，取《战国策》冯谖弹铗歌"长铗归来乎食无鱼"之辞和三国孙吴迁都时江东人"宁饮建业水，不食武昌鱼"之谣，反其意而用之，也十分切合他当时的实况。再后因弹劾权贵挂冠，改称"精卫庵"，以示"花可傲霜看晚节，鸟思填海有愚忠"的孤愤。入民国后，因溥仪颁赏《岁寒贞松图》,改称“寒松馆”;在完成光绪陵园种树任务时,又改题“葵霜阁”,竟成了他晚年顽固思想的标志。

然而,梁不仅是一位私人藏书家,而且是提倡设立公共图书馆的先驱。他在惠州主讲惠丰书院时,创设“惠丰书藏”。“书藏”就是后来通称的图书馆。他手订有《惠丰书院藏书四约》,即管理规则,其“借书约”中有勉励学生的警句:“不借不如不藏,不读不如不借。”后来他一度避居镇江读书,又将自己所藏捐入“焦山书藏”,并亲手整理一遍,作有纪事诗云:“焦山书藏今始见,千卷签函予再题。他日丰湖倘相较,有人访古过桥西。”“金山杰阁委飞尘,灵稳高台闪碧磷。此屋巍然不受劫,今朝应有捡书人。”他在湖北办学时,对两湖书院南北书库的建立和充实,费了不少心血。他特别注重收集地方志。群书要籍有不足者,即捐私藏补之。宣统二年,他托故旧之名,给设在北京的广东学堂捐书万余卷,同时又将家乡的藏书,设立“梁园图书馆”。在他逝世以前,已将这部分藏书,捐献给广东省立图书馆。

历代藏书家都希望藏书传子传孙,世代保持私有,甚至立下“宁饱蠹鱼,不得外借”的家训。梁鼎芬乐于捐书,视图书为“天下公物,与众共之”的精神,可说是首开风气。与继之而起的梁启超、章钰(式之)、卢木斋等人的捐书义举,后先媲美,影响就越来越大了。

梁美须髯,湖北学界背后称他为“梁胡子”。

张知本早识“片言折狱”

谈　瀛

辛亥武昌首义，成立军政府，张知本被推任司法部部长。就职之日，亲书“维持秩序，整肃纪纲”八个大字，张贴于辕门左右，并亲自撰写“不侮鳏寡，不畏强御；如临深渊，如履薄冰”一联，悬于大堂，接着发布的“中华民国司法部第一号布告”及“第二号布告”，也都是出于他的手笔。

张知本字怀九，湖北江陵县张家垱人。父亲张佐庭，勤学励行，知名于府县。四岁时，其父就开始教他读书识字。五岁时，江陵知县范某，下乡勘验命案，借便登门访问他的父亲。谈叙间，呼他出来拜见，范知县把他抱置膝上，看到他胸前挂的绣花褡裢上绣有“一片冰心在玉壶”几个字，便问他“是不是都能认出来？”他答道“都认识。”随即朗诵无误。范又问：“你是怎样认识这些字的？”他答道：“有的是父亲口授的，有的是从书上读的。”范便指着“片”字问他：“这个字，你怎样认得的呢。”他从容回答道：“是从读《论语》学来的，《论语》上有‘片言可以折狱’。”范知县见他年才五岁，这样聪明，十分惊异，称赞不止。这件事很快便传开了，乡邻都称他是“神童”。

买一部书影响毕生

谈　瀛

卢木斋先生(1856—1948),名靖,字勉之,木斋是他的别号,湖北沔阳县(今仙桃市)人。早年家境贫寒,从父读书,多次科场失利。在他十九岁那年,到汉阳应府试,于书肆中看到贺长龄辑的《经世文粹》,知道这是一部有益的书,想买,书商索价铜钱三串。可是,他带来的旅费不多,买了书,就没有钱交付食宿费,不能应考。不买,又不甘心。他接连几天,多次去书肆,索阅这部书,一面讨价还价,一面贪看强记,不忍释手。科举时代的风气,书商对于应试的读书人,都是礼貌相待。但时间久了,也会很不耐烦,诘问他究竟是买还是不买?索性把书收回上架,还说了几句冷嘲热讽的话。后来,他寻亲托友,终于借到三串钱,把这部书买到了手。这部书,这件事,给他的影响非常大!

试毕还家后,他反复阅读了这部书,联系当时清廷政治腐败,列强欺侮日亟的民族危机,深受启发,决心丢下举业,致力于经世致用之学。他逐步认识到,一些有用的学问,如天文、地理、水利、河防、理财、整军等科,首先都必须掌握数学这把金钥匙。从此专心自学,刻苦钻研数学。

有志者事竟成，经过十年的努力，终于成为当时难得的数学家；先后撰有《万象一元演式》、《割圆术辑要》、《叠微分补草》、《代数术补草》、《微积溯源补草》、《代微积拾级补草》等专著。

在自学数理化的基础上，他写成了第一部专著《火器真诀释例》。湖北巡抚彭祖贤看到了书稿，惊为奇才，召他进武昌经心书院深造，并出资刻印了他的著作。光绪乙酉年(1885)乡试，彭与湖北学政高勉之，会同主考朱蓉生，以“朴学异才”特荐，取卢入榜中举。

此后，他历任天津武备学堂算学总教习，赞皇、南宫、定兴、丰润知县，多伦诺尔同知，保定关东大学堂督学，直隶、奉天提学使。所至之处，孜孜以兴学育才，劝业富民为急务。在丰润任内，开始辑印书籍；在提学使任内，创办豢养院、图书馆，开办专科学堂计百余所，为两省新式教育事业奠立了初基。1905年，他奉派带领直隶官绅赴日本考察教育。返国后，即向当局建议停罢科举，改革学制，普建学堂。据闻，袁世凯向清廷奏请停罢科举的稿札，也出于卢氏手笔。

民国时期，他寓居天津，从事实业。由于他精通数学，擅长建筑，善于理财，成了富翁。他早就认为救国的途径、立国的根本，在于发展教育、振兴文化，尤其是从亲身的经历中深刻体会到治学入门的重要，寒士求书购书的艰难。在他经济富裕以后，便以自己的心血，倾注于文教事业上面。他相继做了几件大事：建立了两个图书

馆——南开大学图书馆和设于北平的私立木斋图书馆，辑印了三部丛书——《慎始基斋丛书》、《湖北先正遗书》和《沔阳丛书》。1935年，他八十生辰，预立遗嘱："身后遗产，全部用于教育事业。"并请监护人和律师公证。抗战胜利后，他还捐款赞助北京大学重建数学研究所。

可以说，木斋先生的思想、学问、事业，都是同他早年购读《经世文编》这部书、这件事分不开的。他自己虽然后来做了官，发了财，藏书丰富了，但对于早年借三串钱买到手的这部《经世文编》，却始终爱惜备至，珍重保存，并且常对后学讲述当年买书的艰苦故事。

武昌徐氏藏书及其特点

涂孝宓

湖北近代大藏书家武昌徐行可，名恕，号彊谚，以字行，徐氏藏书在建国后全部捐献国家。现归湖北省图书馆庋藏。箱数逾千，册过十万。其中经部书籍一万五千余册，史部二万五千余册，子部一万三千余册，集部一万九千余册，丛部二万一千余册，明清善本、抄本、稿本、批校本近万册。今湖北省图书馆所藏古籍善本，大半为徐氏旧藏。在徐氏藏书中，特别是清人文集和清代学者研究文字、音韵、训诂、金石、目录，以及考订经史百家的著作，较为系统、完整，是其藏书特点。

纶明《辛亥以来藏书纪事诗》记徐氏藏书事云："家有余财志不纷，宋雕元刻漫云云。自标一帜黄(丕烈)汪(士钟)外，天下英雄独使君。"并记云："武昌徐行可恕，所储皆士用书。大多稿本、精校本。尝舍南浔刘翰怡家，两岁尽读其所藏。南北诸书店，每得一善本，争致之。君暇则出游，志不在山水名胜，而在访书。闻某家有一未见书，必展转录得其副而后已。版不问宋元，人不问古近，一扫向来藏书家痼习，与余所抱之旨殆不相谋而相合也。"

湖北近代藏书家，人数本不甚多。藏家又多寄居他省，藏书亦未留存湖北。宜都杨守敬之观海堂藏书，于 1919 年经傅增湘介绍，售诸政府，后又颇有散失，现分藏北京图书馆与故宫博物院图书馆。武昌柯逢时藏书，其子孙售诸南北书估。沔阳卢靖藏书则捐献南开大学，成立"牧斋图书馆"。其弟卢弼藏书在抗战后陆续散出。蒲圻张国淦以收藏中国地方志著名，张氏寄居上海，1952 年时，将其所藏地方志一万多册折价让给湖北省图书馆。湖北诸藏书家中，藏书总册数以武昌徐氏为第一。历经兵燹仍完整无缺，留存湖北，为历史文献研究者所重视，而又有裨于实用，惟徐氏一家耳。可谓有功于乡邦文化建设者。

襄阳藏书家杨立生

武印荣

杨立生(1874—1944),本名杨仁毅,又名杨纯、杨静渊、丽生、力生等。襄阳人,清末秀才,攻医学,曾在襄阳开钱庄。1900年在襄阳府中学学堂任国文教员,1913年在湖北省立第二师范学校(又称“襄阳二师”)任国文教员。在校期间结识教师萧楚女,受其思想影响。1925年杨立生曾向恽代英在上海主编的《中国青年》捐寄二十块银元,以示支持。从此他不治家产,积财力专事藏书。其女儿杨明玉回顾说,当时家中藏书装满三大间房屋,究竟有多少册,那时也说不清,老人家见书即买。1924年5月他参与襄阳县立图书馆筹备处工作,积极倡议办图书馆,曾捐二十四史全部。1928年襄阳县立图书馆筹备就绪,定名为“鄂北图书馆”,杨立生书写馆名。新中国成立后,杨先生的藏书多由其女儿杨明玉捐给襄阳地区文博馆,现藏于襄樊市少年儿童图书馆,有统计资料为一万零八百册以上,其中元明时期的珍善本二千四百一十九卷,还有大量字画,金、玉、瓷器等文物。由于杨氏从不在其藏书上签名,不加盖印章,因此,他捐书的准确数字难以确定。

杨守敬与徐行可

徐孝宓

杨守敬先生长徐行可先生五十一岁。两先生相识盖在1908年(光绪三十四年,戊申)之后。徐行可先生1907年游学日本,翌年因弟去世回国。此后,学无常师,绝意仕宦名利,日汲汲于故纸,以读书聚书为乐。徐氏旧居武昌府后街,杨先生铺屋在武昌芝麻岭,相距甚近。据《邻苏老人年谱》,1910年宣统庚戌二年,“四月,买得旧材,改作芝麻岭铺屋”,芝麻岭铺屋即两先生最初相识之地点。徐先生常去购置碑帖,遂结金石之交。邻苏老人《大代华岳庙碑跋》云:“江夏徐君恕,据《魏书·礼制》:‘大延元年,立庙于衡岳、华岳、嵩岳’。而中岳碑亦有修诸岳祠之文。疑中岳立碑,即华岳大延年间事。《金石录》传抄误为太安也。《实刻类编》沿其误。徐君是说,颇有微契。”徐先生与杨先生必有请益问学讨论之事。此后,杨先生为徐先生撰联题上款,有称曰:“行可金石同好”。(杨先生为徐先生所撰诸联现均藏湖北省博物馆)杨先生为了提携后学,不吝将自己所写未刊之稿亦假借传抄。如《古诗辑存》一百二十卷,《汉书二十四家遗注》十二卷。前者徐氏抄有《古诗辑存目录》,后者则抄有全帙。徐先

生精于考据、校勘、金石、录略之学，虽未拜杨先生之门，亦可谓私淑邻苏者。

黄季刚师事刘师培始末

梁　言

黄季刚，受业章太炎，得衣钵真传，师承而光大之，应知者几尽知矣。但黄季刚师事刘师培，知之者不多，知之而不以为异者，更属少见。

缘刘师培研究晋书，颇有独到之处，尤精于陶潜之田园诗学，且收藏该类资料甚丰。黄季刚为此时往刘处切磋，虚心求教。二人都是名教授，功力伯仲之间。但黄渊博，刘则予人以高深莫测之感，学人多心仪季刚而腹诽师培。刘当时盘算，若将“秘笈”全部传授，黄必凌驾于己之上；若靳而却之，又恐有损清誉。思前想后，莫若就此机会，收季刚为弟子，自必名望更高，可与章太炎并驾齐驱矣。因此，他向季刚提出拜师之议，含蓄地表示：名正，言顺矣；言顺则学进矣。黄季刚本“能者为师”之治学精神，满口承诺。于是，刘师培选定吉日，宴请名流。届时明烛高烧，刘师培正襟危坐，黄季刚在铺设好了的红毡上恭谨叩拜，行弟子礼如仪。一时学坛传为佳话，但也有窃窃私议，不以为然者。

刘、黄之师弟关系，是以学术上之汇合始，

以政治上之分野终。1915年，袁世凯“洪宪”称帝，作为“筹安会”所谓“后六君子”之一的刘师培奔走效劳，邀集北京学术界名流开会，要大家上书“劝进”。到会者既慑于袁之淫威，又碍于刘的面情，内心虽不愿意，但无一人敢于公开反对。关键时刻，黄季刚拍案而起，怒容满面地对着刘师培说：“既然如此，刘先生一人足矣，何必兴师动众。”说罢拂袖离席，其余的人也跟着走了。刘师培苦心摆下的“效忠会”，一下子给搅散了，呆坐半晌，哭笑不得。

刘师培原本以为黄季刚是自己的弟子，约请到场，必然带头响应，凭其声望，到会名流肯定附和。殊不知算盘打错，弟子不但不带头响应，反而带头反对，如此结果，非刘师培始料所及。章太炎闻之曰：“险哉!如若不是季刚反对，众将入其彀矣。”

亡友傅恒祺受业刘师培，为予言其事颇详，特记之。

杨葆初、杨守敬合力完成《景苏园帖》石刻

丁永淮

东坡赤壁的碑阁内珍藏的著名《景苏园帖》,是清末杨葆初、杨守敬汇刊的。杨葆初,字寿昌,四川成都人,祖籍江苏常州。杨守敬(1839—1915),字惺吾,湖北宜都人。二人都酷爱苏东坡书法。清光绪十四年(1888),杨守敬始任黄冈县教谕后,在赤壁附近建"邻苏园",取与东坡为邻之意,用作藏书之地;光绪十六年,杨寿昌任黄冈县知县,于县署西侧辟"景苏园",取景仰东坡之意,用作藏碑刻之地。杨寿昌发起重辑苏东坡书法作品为《景苏园帖》,并镌刻上石。杨守敬是著名的金石书法收藏家,他将自己所藏的刻有苏书的二十二种法帖及原刻拓片选出,开出建议入选的具体篇目,呈杨寿昌审定。最后,杨寿昌与杨守敬共精选出七十件,由杨寿昌出资,请武昌著名石工刘宝臣摹刻上石,从光绪十七年开始,第二年刻完四卷,后又增刻二卷,共一百二十六块,均镶嵌于"景苏园"内墙壁,因命名为《景苏园帖》。未几,六卷全部刻成,杨寿昌很高兴地宣布:"公(指苏东坡)以蜀人而寓于

常(指江苏常州),予以常人而籍于蜀,数百年后又幸有黄州赤壁之游,予之与公似别有因缘,固不仅学书一端为令人向往也。”

萧耀南金赎景苏园碑刻

王琳祥

杨葆初与杨守敬合力完成《景苏园帖》石刻一百二十六块,尚未嵌置景苏园壁,杨葆初就被解官卸任。他因刻碑负债太多,一时无力偿还,乃将全部碑刻抵押于富户张某。杨谢世之后,其后嗣亦无力取赎,张某与之讼累不休,长达三年。民国十四年(1925)初,张某以重价将景苏园碑刻全部卖给外商。交货之日,搬运工背负肩扛,恰好被浙东名士范之杰目睹。

时任湖北督军的萧耀南,本黄冈人。他回乡时,范将碑刻即将流入外国之事相告,萧表示不惜重金,务必从外商手中将碑刻全部赎回,并遣范之杰办理此事,因而碑刻免于外流。萧耀南又命黄冈人汪燊将碑刻全部运回黄州,嵌置于新建的“挹爽楼”壁,稀世国宝,才得保存至今。

综萧耀南一生,此举或可算得上做了一件大好事。

刘先登与《皮蛋的研究》

嘯　海

中国皮蛋出口，曾经有过一点风波。

事情要从医学博士刘先登说起。刘先登(1888—1947)，湖北宜昌人。1905年，经宜昌“宜人学社”推荐，考试合格，公费留学日本。先后在日本弘文书院、东京一高、九州帝国大学医学部学习。1918年毕业回国后，历任蒙古库伦医院、天津市医院院长、南京鼓楼医院医生、国民党革命军贺龙部上校军医。1928年重涉东洋，入日本九州帝国大学攻读医学博士学位。他对日本的老师十分尊重，感情殊深，但对日本帝国主义者欺辱中国行径，极为愤慨，从不在日伪官员面前损其节，屈其腰。就在攻读博士学位期间，他从报纸上看见英国商人污蔑中国皮蛋里面细菌滋生，病毒严重，有碍健康，不可食用。英海关悍然宣布禁止进口，单方面撕毁原订购货合同，欲在国际市场上置中国商品于身败名裂的地步。刘怒不可遏，一气之下，放弃了原来研究的课题，决心对中国皮蛋进行科学研究论证。他广集博采，查阅了国内外大量关于蛋类以及皮蛋制作与营养功能的文献资料，进行了无数次科学实验、分析、求证，终于撰写出一篇很有分量的论

文——《皮蛋的研究》,作为博士论文申报。这篇论文分两编十二章二十二节，以大量科学的数据分析,详尽地论证阐述了中国皮蛋的形成、外观、结构、细菌检验蛋白质的成分、营养价值等，尤其用大量资料说明皮蛋里面虽有细菌，但均是酵母菌,决非致病的毒细菌。并用中国盐渍泡菜作为皮蛋的佐证,说明这类风味独特、营养丰富的食品,正好是中华民族的创造,绝非是什么“可怕的毒物”。

刘先登的这篇论文问世后，引起洋人们的极大注意。经日本医学专家、教授的审议、复查，于民国十九年通过了论文答辩，帝大授予他博士学位,颁发了证书。日本报章杂志纷纷刊了这篇论文,报道刘因此获得博士学位的新闻。论文传到英国,英医学界认真对照论文实验,证实刘的论述十分精当，英国海关在事实与真理面前不得不撤销禁令,恢复中国皮蛋的进口。刘先登戴着小野寺教授赠给他的一枚金质博士纪念章,扬眉吐气地学成回国,先后受聘于河北大学医学系、北京大学医学系。

武昌拆城发现之古砖

陈上岷

1926年武昌拆城时，潜江易均室先生(1886—1969)为保护文物，搜集古砖，作出了很大贡献。《续闲谈销夏录》记其事，略云：

“丙寅武昌拆城议行，君于其时留意访求古砖，累年所得无数。最古者为吴黄龙、嘉禾时物，均象形刻书，可见季汉之书品。又得一砖，两侧分书‘永平元年四月干慎立墓富贵’十二字，盖圹甓也。在近古有宋南渡后物，曰‘嘉定戊寅官窑三十将造’者，书法绝肖唐碑。考南宋高宗时兵种，有‘九军三十将’之编制(见王象之《舆地纪胜》)，居然与今日师旅团营，以数目区别者同。此类砖，所获不下数十种，如嘉定、咸淳、至元、嘉靖、崇祯各朝所造，尤精美……”

抗战以后，这批古砖，还包括均室先生所收集的名贵端砚、石印及铜器等非纸质文物，下落如何，便不得而知了，且一直为文物工作者所关注。惟沙孟海先生《沙邨印话》中有一段记载，谓“均室不刻印，顾笃好印，平生积聚元明以来名家手迹数百钮，朋侪为己刻者亦数百钮。既值余，便索治两印，程期成之。诸所蓄藏，故留庋武昌寓庐。倭乱作，铁鸢日日掠汉上，尽辇归故乡，谓将瘗诸土中,海枯石烂,吾印不礴。其风趣如此。”

这则记载，不意竟为我们寻找这批古砖等文物,提供了一个很好的线索。因所谓“瘗诸土中”,并非虚语,而是一句实话。原来均室先生于日寇侵略避难离开武昌时，确已将石砖等文物埋藏于地下了。此事的知情者,只有均室先生令嗣易硁先生一人。这是 1985 年我的一位朋友(均室先生弟子)写信告诉我的。他说易硁先生愿将这批文物捐献给国家，并将易硁先生的一封信以及所绘埋藏古砖地点草图,一并寄给我,托我转报有关部门,希望能得到重视和发掘,使古物重光,庶不负均室先生当日保存之一片苦心。我高兴之余,当即照办了。可迄今已经五年,却毫无反响。言念及此,心里便不是滋味,但愿这批古砖等文物,早日得以重见天日。

西南联大的铁轨钟

伊　洛

抗日战争时期的国立西南联合大学，是由北京、清华和南开三所大学联合在昆明建校上课的,前后坚持了八年,与抗战相始终。它集合了全国教育界和知识界的精英，在最艰苦的环境中,弦歌不辍。无论在民主斗争和科学研究方

面都取得了令人注目的成就,国内外刮目相看。

联大之所以能获得如此成绩, 与艰苦朴素的优良传统有关。抗战八年,联大师生无论遭遇多大困难,从不知难而退,从未在这里听到唉声叹气的声音。联大新校舍成千学生住的都是大草棚式集体宿舍,全体学生只有一个大洗脸盆,就是校园北面大伙房前那口井。更具意义的是这样一个战时最高学府,却没有一口校钟,而是利用半截废铁轨作校钟打了八年。学生们幽默地称上下课打钟是“打铁”。但它没有误过一堂课,准时准点,越来越奋厉,表现了中国知识界、教育界坚持抗战到底,重建家园的坚毅精神。

联大新校包括文、理、法各院,校址后面紧靠滇越铁路,离火车站不远。这铁轨校钟就是用铁路报废的旧轨改制而成。截取二尺多长的一段, 一端留孔, 树一个冂字形木架, 用铁丝把“钟”吊起就成功了。司钟工友,用一柄铁锤头,天天早晚按照作息和上下课时间, 照数敲打就是。铁轨毕竟是钢造的,声音沉亮清越,一声钟响,声闻十里,不但整个联大新校,并且几乎整个昆明市都能听到。成千的联大男女学生,按时上下课,秩序井然,这样坚持了八年,给昆明市和抗战大后方留下无比良好的印象。

不知此铁轨是否仍在?如仍在,它将是联大最有纪念意义的一件文物。

西南联大课桌椅

伊　洛

与联大铁轨校钟相媲美，还有联大课椅，也可从中看到联大师生克服困难的创造精神。战时政府教育经费支绌，物资又极缺乏，联大要平地建起一所联合大学，要按期正式上课，不误学业。怎么办?教室和宿舍都用简易型，门窗全部裸露，没有玻璃，屋顶用铁皮或茅草也罢，但课桌和坐椅是一大问题，不能让学生席地而坐来上课，何况整个抗战时期也决不是一年半载，为解决这个难题，联大人因时地而制宜，创造了扶手课椅。这是一种单人用的小木椅，带一柄长圆扇形木把的扶手，小巧实用。使用这种扶手椅，教室可多坐许多人，一间小教室可抵上一间大教室，化费减少而效率大增。有人给这椅子起名叫做“联大课椅”，并叫开了。教授的讲台对着一排排课椅，学生们聚精会神地聆听、作笔记，不但不觉寒伧，反而表现了战时大学的艰苦朴素风姿，振奋了人的精神。这样支持了八年，使联大教学始终保持了第一流大学的第一流教学质量，受到国内外知识界的高度评价，即使到现在，这也是一桩值得推广的教具改革的成功经验。

李广田与《锻冶厂》

田　庄

现代著名散文作家、诗人李广田先生在抗日战争时期随山东省立济南中学流亡南迁。当时他任该校国文教师。经过长途跋涉,从山东、河南、鄂西、陕南,到达四川罗江。于1939年主编文艺刊物《锻冶厂》。当时学校改为国立第六中学第四分校。该刊为校刊，但也不完全是校刊,因为经费由学校出,主编是教师,撰稿人绝大多数是本校师生。李先生不愿意把它说成“校刊”,是因为他还要力争多选些好的外稿。

《锻冶厂》这个名字是李广田先生起的,他说这是借用苏联革命初期一个文学团体的名称。他在发刊词中说：

> 对于我们，这伟大的时代正是一个最好的锻冶厂，我们将在这工厂中锻冶我们自己,我们一方面要锻冶我们的手艺,希望能为这“抗战建国”的大时代画一些光荣的记号;一方面更要锻冶我们的整个生命,使我们的力量变得更坚强,更有韧性,以期为国家民族多尽一些应尽的责任。而且如果我们经过长期的锻冶之后，能产生出一种

较为像样的作品来，那就再好没有了。

他和陈翔鹤、方敬都先后带头在刊物上发表文章。他曾发表《和青年同学谈创作》、《旧形式利用》和《母与子》。陈翔鹤先生发表《论读古书》、《关于科举、读经和作文》、《谈谈当前的国文教师》、《怀〈静静的顿河〉译者赵广湘兄》、《〈在风沙中挺进〉书序》。方敬先生发表《谈诗歌》、《一个伤兵》和《一个礼赞》。这份文艺刊物，实际起到的决非仅仅是文学艺术的作用，而是团结了一大批青年在它的周围，向他们进行进步的、革命的教育，引导他们走上革命的道路。它的被迫停刊是与当时反动势力密切相关的。诗人伊洛(刘方)在一篇怀念三位先生的文章《小城忆旧》中所说："《锻冶厂》的篇幅和寿命虽然短小，但它在文艺期刊中却曾经在暗夜里迸发过醒目的火星。"

喝稀饭与拉尿

胡　挠

抗日战争年代，日军占领了湖北省的武汉、荆州、宜昌后，鄂西的恩施就成了战时省会。当时省的党政机关、六战区长官司令部、各类学校及部分工厂都迁到鄂西，还有难民，一时间增加了十几万人，粮食成了问题。为了解决这一问题，就从湖南洞庭湖滨调运粮食。有时未能及时把粮食运到，造成供应紧张，1940年上半年最为突出。

我当时就读于宣恩初中二年级，那时每天虽三餐稀饭，也还吃不饱，每到就餐时，围着饭桶边抢饭。抢不到勺子，就用碗舀，人多拥挤，互相撞击，每到一桶粥舀完时，已是半桶破碗渣滓。每添到一碗饭，头发上、衣服上都粘满了稀饭。

由于光吃稀饭，尿特别多。在教室外、寝室内都摆了不少便桶。上课时解小便者络绎不绝(男女分校)，讲课声、尿尿声交织在一起。宿舍是在古老的文庙，有三层楼，一晚上起床几次，在陈旧的地板上，再加上年轻人脚步重，一人走路，全楼振动，一晚响个不停。好在那时都是十几岁的娃娃，仍睡得很香甜。

《茶经》为媒添佳话

张业茂

1940年，日本学者诸冈存在其《茶经评释》上下册和《外篇》一册大体完稿即将付印之前，决心到茶祖陆羽的故乡——中国湖北天门实地考察一番。这年7月5日，他终于克服中日交战期间的千难万险到达天门。当时已经六十二岁的天门县长胡雁桥接待了他，并陪同他参观游览了陆羽故迹雁桥、西塔寺、文学泉等。临别时，胡县长将西塔寺新近校刻的桑苎庐藏版《陆子茶经》一部送他，还亲自在封面上用毛笔题识，郑重地盖上了自己三枚不同的阴阳文印章。

诸冈存回国后，在1941年和1943年先后发表了他的上述专著。1946年，诸冈存去世前，嘱其长女诸冈妙子将胡县长送他的《陆子茶经》奉还陆羽故里。

1986年，天门举行首届陆羽学术研讨会，诸冈妙子教授遵照父亲遗嘱，特地将胡县长送的《陆子茶经》复刻五百部亲自送归天门。她在该书“后记”中说：“四十五年前，在中国天门县，胡县长亲手赠给诸冈存的西塔寺版《陆子茶经》现在传到了他长女的手里，这正是以茶圣陆羽为媒的日中友好交流的证明。”奉还仪式在天门陆羽宾馆举行，那天年过花甲的诸冈妙子教授神情非常激动。

《战国策》

陈瑞莫

1942年春，以林同济为首的重庆少数大学教授，在《大公报》上出版一个名为《战国策》的副刊。其命意所在，系与国民党的三句口号互相呼应的。“战”是抗战，意即“军事第一、胜利第一”；“国”是国家，意即“国家至上、民族至上”；“策”是政策和策略，意即“意志集中、力量集中”。 时值二次世界大战中期，西线德军已席卷西欧和巴尔干半岛 ，东线也已深入苏联境内……《战国策》对国际形势的看法是公然鼓吹法西斯主义，并预测德军必胜。对国内形势，则是赞成国民党一党专政，反对人民民主，与共产党“三坚持”的主张(坚持团结、坚持抗战、坚持进步)背道而驰。由于林等的知名度相当高，他们的谬论有一定的社会影响。不过“好景”不长，随着德军攻苏受阻，并丧师于斯大林格勒城之下，《战国策》的策士们看到形势不妙，也连忙偃旗息鼓，于是这个叫嚣一时的刊物，也就“无疾而终”。

陈望道识才爱才

王　火

1944 年复旦大学在重庆招生，湖南青年张啸虎报考新闻系被录取。张啸虎的录取是很特殊的。他数学考了零分，但作文(一篇白话文，一篇文言文)都考得一百分。我还记得白话文的作文题是《秋夜》，文言文的作文题是《大道之行也，天下为公》，两篇作文规定两小时用毛笔完成。作文能考得满分一百分,是复旦大学考试史上历来没有的。按照规定,主科如果有一门吃了“鸭蛋”(零分),就不能录取,但啸虎的作文得了一百分,是“史无前例”。新闻系主任陈望道老师爱才,认为一个投考新闻系的学生,一支笔这样棒,应当破格录取。经过他力争,终于打破常规,啸虎被破格录取。

这事传开后,颇为轰动。我还记得很清楚:新闻系开迎新晚会的那天,望道老师特地向大家介绍了张啸虎,许多同学都要这位“才子”站起来让大家瞧瞧。那时,年轻的啸虎还有点腼腆,站起来时红了脸。

这位“才子”五十年代初在辽宁广播电台工作,1957年后沉沦了二十二年,1979年才进入佳境,任湖北省社会科学院研究员、文学研究所所长。不幸身患骨癌,于1991年逝世,留有文论和散文、译文等著译二百余万字。

胡秋原和前川中学

刘作忠

“五四”运动后,胡秋原之父康民(黄陂“四大金刚”之一)受新思潮影响,以社会募捐(如乡人黎元洪资助三万元),创建“黄陂县私立前川中学”。1921年9月开学之际,国民党元老于右任曾为之题词:“勤、作、诚、勇。”1927年下半年,因校中查抄出红色书刊而被迫停办。

1946年，胡秋原自重庆返里，恢复前川中学,自任校长。他重整旗鼓,以高薪聘名师,并注重教学质量。如英语教学每班即由三名教师分教课文、会话、语法(造句图解)。他的夫人一度在该校教英语,他本人也曾亲教国文。校中每月开一次教学会,以交流经验、检查进度。学生每月月考和期考,每班考试前四名者免收学费,第五至七名者有相当于学费一半的助学金，因而该校声名大振。胡为纪念复校曾题词:“一须有志,二须有识,三须有恒。”他并亲作校歌:“程汤开学脉,方扬并芬芳。由来三楚多英俊,开国首先义帜张。惟我前川之师友,要继往开来,策斯民之安康。清水出大地,木兰薄穹苍,西山晓钟除黑暗,风云花柳见春光。惟我前川之师友,要顶天立地,扶国运于无疆。”

几十年来，前川中学桃李遍天下；时至今日,黄陂县重点学校黄陂一中的前身,就是前川中学。

“第三扁鹊”

谈　瀛

上海某富商患病,群医束手,认为不治。有

一位不甚知名的中医,诊视后,独认为可救,处方数剂,竟告痊愈。某商很感激,奉千元求章太炎先生为题一匾,想借重以扬其名。太炎书四大字:“第三扁鹊”。某商大惑不解,请教于他人,都认为“第三扁鹊”显含贬义,可能是“第二扁鹊”的笔误,商乃婉乞太炎先生改写。太炎大发脾气,说:“所书无误。医之誉,无过于此者,彼果为名医,必知其义。”且补署下款“章炳麟”,以坚其信。某商不得已,才就书制匾奉致。医者收到后,喜出望外,即高悬于厅堂。

原来《史记》上的扁鹊,姓秦氏,名越人。《史记正义》引《黄帝八十一难序》云:“秦越人与轩辕时扁鹊相类仍号之为扁鹊”,已经是“第二扁鹊”,故誉“第三扁鹊”就没有错。

胡适推荐的中国历史名人

郭大风

主持商务印书馆工作达五十年的张元济先生,曾著《中华民族的人格》一书。胡适在该书所写的序言中,又开了一张自汉以后中国模范人物的名单,建议张先生采纳。计有:张释之、汲黯、刘秀、邓禹、马援、诸葛亮、杜预、陶侃、李世民、魏征、杜甫、陆贽、范仲淹、王安石、岳飞、文天祥、刘基、方孝孺、王守仁、张居正、顾炎武、颜元、曾国藩等二十三人。五十年代，严家淦又向胡适提出："如果一个外国人要你举出十个对中国文化贡献最大的人物，你将推荐何人？"胡提出了十人，排列次第是：(一)孔子，(二)老子，(三)墨子，(四)韩愈，(五)杜甫，(六)范仲淹，(七)王安石，(八)朱熹，(九)王守仁，(十)顾炎武。并谓：若再加几位，那就是孟子、司马迁、王充和张居正。

武昌县历史上一次元宵诗会

席炼文

元宵节，又名上元节，是每年春节后第一个重大的传统节日。除以“火树银花”的灯会著名外，文人墨客也多于此时相聚集会，即景赋诗、联句为乐。

在武昌县的历史上，以明宣德年间(1426—1435)，当时致仕在家的明吏部尚书江夏人张天佑在武昌县龙泉山(今龙泉风景区)含山楼组织的一次元宵诗会规模为最大。参加那次诗会的共有二十二人，除张天佑外，有翰林张郁、解元张钟灵、太常寺卿邹彦魁等，大都为一时名士以及聚居该地的沈、张、邹诸名家子弟。

诗会以观灯赏月为题。张天佑的首倡诗是“天无凄雨海无沙，灯满楼台月满家，乾象年年回斗柄，春宵何处不生花”。其余二十一人皆有和韵之作。张钟灵和诗是“楼含月色白如沙，光照千家与万家，月在中天灯在市，人人携手去看花”。布政使杜宗晦也和道：“月殿风来万顷沙，高妆火树坠君家，含山含尽千春景，遍种公门桃李花。”给事中李时亮的依韵之作是“天官楼上月堆沙，最喜诗家共酒家，更有星桥十二座，人人同赏太平花”。翰林张郁的和诗，可谓构制精巧而生面别开：“楼台叠叠月铺沙，叠叠楼台灯满家，明月留人人醉月，村村玉笛暗吹花。”邹彦魁也和道：“灯似月兮月似沙，春从海上到人家，为歌今夜融融月，醉似南楼共探花。”其余佳句联翩，均志一时之盛。可以说这是武昌县历史上空前的一次元宵佳节诗会。

张之洞撰联哭孙

刘凤翔

张之洞任湖广总督期间，阐发系统的“中学为体、西学为用”的洋务运动纲领，使湖北成为洋务活动的中心地区之一。除创办厂、矿、局等大型企业外，还兴建学堂，设立两湖书院、陆军学堂、测绘学堂等院校。在学生中，择优留洋，以资深造。因此，派出大批留学生赴日本等国留学。

一日，其孙从海外留学归来，戎装佩剑，顾盼自雄。当他将入总督府署时，镇统张彪为他备轿，他要骑马。张孙雕鞍锦镫，骑抵西辕门。卫兵列队肃立，鸣炮欢迎。无奈张孙所骑之马，为一烈性马，骤闻炮声，惊腾两足，长鸣立起，将张孙翻坠地上。而翻坠时，所佩之剑又脱鞘而出，刺入腹中，顿时肠流血涌而死。张之洞目睹其孙惨死剑下，不觉放声恸哭。帅府上下为张孙举行哀悼，设祭堂，隆重安葬。张之洞老泪频挥，援笔挽孙，联云：

宗悫堕马竟戕生，虚予期望乘长风破巨浪之志；

汪踦虽殇亦何憾，恨汝未能执干戈卫社稷而亡！

镇统建议严治马罪，将铁条烧红从口内捅入腹中处死。张之洞仅令善骑者勒缰急驰，将马累死。可是上至金口，下返武昌，急驰一百二十华里，马仍无恙。张彪遂令缚马于西辕门石狮上，用铁锤猛击其头处死。

平时，张之洞每至汉口，必从西辕门经豹头堤出文昌门渡江。自其孙死后，改从东辕门、经长街(今解放路)出平湖门乘船。盖张之洞痛孙惨死，不忍重见其地，触目伤怀也。

张之洞两次为黄鹤楼题联

王序平

张之洞于 1867—1873 年任湖北学政期间，登黄鹤楼，曾题联云：

江汉关中兴，愿诸君努力匡时，莫但赏楼头风月；

楢轩访文献，记早岁放怀游览，曾饱看春暮烟花。

1889—1906 年，张任湖广总督期间，重登黄鹤楼，又题联云：

昔贤整顿乾坤，缔造皆从江汉起；

今日交通文轨，登临不觉亚欧遥。

张之洞任湖广总督达十七年之久，于兴办工交企业、引进农业科技、修筑堤防，以及兴办教育、推行新学制等各方面都卓有建树，史称“莅官之处，必有兴作”，是符合事实的，所以湖北老一辈人对他誉多贬少。从他两次给黄鹤楼的题联，也可看出他建设江汉、“整顿乾坤”的积极精神。

苏曼殊为黄侃绘《梦谒母坟图》

吴文蜀

黄侃性至孝。其母周氏殁后,葬于蕲春黄氏祖茔,黄侃曾居乡守墓。后因他不容于清廷,流亡日本,仍随时念及母墓,因请当时同在日本的苏曼殊为他绘《梦谒母坟图》,并撰《梦谒母坟图题记》记其事。时章太炎也居日本,见到此图后,曾撰《书黄侃梦谒母坟图后》称赞黄侃孝思,此文已收入章氏文集。

黄侃撰的《梦谒母坟图题记》约五百字,先叙其先祖从江西迁来蕲水上游包茅市一带之山川景物;次叙其母墓园周遭环境;末叙他守墓、流亡及请苏曼殊绘图经过, 有云:"……既流窜东夷,恐遂不得返乡里上先人冢墓,一旦溘死,复不能依母泉下,宵中魂梦,恒来是丘,既寤悲伤,至于昒旦。因请沙门曼公绘为是图,粗存较略,藉用寄思。"黄侃这篇短文,叙事明澈,文辞洗练,而情感真挚,读之使人动容,诚为情文并茂之作,近人钱基博氏在他所著《中国文学史》中,称黄侃此文是近代散文的典范之作。

20 世纪 70 年代中期,我曾在武昌黄侃四子念祥宅见到苏曼殊为黄侃重绘的《梦谒母坟图》缩印件,并附黄氏门人高明(字仲华)、龚慕兰、刘太希三人的题咏。图作横幅，上端平题“梦谒母坟图”五字，后分三行署“壬子五月曼殊为季刚重绘”，赵体楷书，字迹娟秀。曼殊既云“重绘”，可知他在壬子(1912)以前曾应黄侃之请作过与此幅重绘图内容相同的图。从黄侃撰的《题记》及章太炎的跋文来看，都未提及请曼殊重行绘图的事。至于前图作于何时，因何未能保存，已不可知。

曼殊此图用写意法。他未到过黄母的墓园，是根据黄侃口述墓园地形风物梗概而构制。图中一溪横贯，上建拱桥，桥南沿溪有小树三数株，枝叶凋零，另有阡陌分隔田地几丘。桥北为一小丘，有石级可上，顶端为一孤冢，树有墓碑，墓后有孤树一株；丘下东侧有屋数椽，丘后有远山映带。寥寥几笔，将墓园肃杀凄清的情景刻画出来了，格调高远，足证曼公是此道高手。

黄侃三个门人为此图题的诗词亦清朗可诵，转录如下(原作无标点)。

先是高明题的一首《江神子》，并有序文：

蕲春师忌日，读曼殊和尚为师所绘梦谒母坟图，感怆有赋。

片帆荒屿一江风，淡烟笼，白云封。望极遥山，山外叫归鸿。万里思亲多少梦，孤冢在，画图中。白门亲炙事匆匆。许追从，想音容，把酒持螯，犹记气如虹。掷下玉尊骑鹤去，何处觅，问苍穹。

末署“弟子高明敬题”。

龚慕兰也用高明《江神子》原调为题：

墓门松柏已成围，梦依依，谒无期，搔首东风，清泪点莱衣。寸草春晖何限恨，凭画幅，寄乌私。绛帷犹记昔年时，楚江湄，石城西，辛苦传经，曾废蓼莪诗。今日披图添万感，梁木坏，泰山颓。

末书"敬题季刚师梦谒母坟图，用仲华(高明)学长原调。受业龚慕兰"。

这两首词都是作者于乃师逝世后补题的。以后，刘太希又补题一首七绝，诗云：

我亦人间失母孩，寒泉谁喻凯风哀。中原久陷孤儿老，无复松楸入梦来。

末书"敬题季刚师梦谒母坟图。门弟子刘太希"。

我不认识季刚先生，但读了苏曼殊为他绘的梦谒母坟图和三首题词，也触发我的思亲之痛，因用高、龚二氏原调缀成一首，并书为横幅交黄念祥。今念祥已去世十多年，我写的这幅字，不知浮沉何所矣！惟原词我留有底稿，姑录之。原件词题在正文之后：

江城子

题曼殊上人为季刚先生绘梦谒母坟图

清溪浅阜草蒙茸。动莪衷，路千重。释子关情，笔底写楸松。日接亲晖休待梦，图画里，有音容。文章气节世希崇。觐无从，想遗风。泉水同悲，屯蹇慨飘蓬。思梦谒坟何处是，烟霭翳，渺岷邛。

几年前余母殁成都，时身滞汉上，更处逆境，不能奔丧，自不知墓在何处，词下片末几句即指此。

杨度“不堪回首”的绝妙对联

龚啸岚

民国初年袁世凯窃国得手，大做其皇帝美梦时，湘潭才子杨度成为他御用“筹安会”中的风云人物，替袁鼓吹帝制。“洪宪”王朝短命，杨度随之扮演了一个不光彩的角色。

1979年《辞海》修订出版，其中[杨度]条下，除记述他曾留学日本，主张君主立宪，袁世凯恢复帝制时他成为筹安会的“六君子”之外，还介绍了他“后期倾向革命”，1927年在北京营救过李大钊，移居上海参加过进步组织“中国互济会”，并于“1929年秋加入中国共产党，在白色恐怖下坚持党的工作”。最后寥寥二十五字组成的两句话，使杨度的政治面貌得到历史的转变。

“文化大革命”后期周恩来总理虽在病中，仍关心《辞海》的修订工作，像杨度晚年为党工作的绝密情况，就是经他指示后查证落实的。

杨度是王闿运的弟子，他们做的都是“为帝王师”的学问。湘绮老人曾入曾国藩的幕府，只获得个“加侍讲衔”的“翰林院检讨”，官阶远不如他“国学大师”的名重。杨度政治欲望比他的老师更大,宦海浮沉几至遭到灭顶之灾。袁世凯垮台后,北京市上出现了一条拆字格上联:

或入园中拖出老袁还旧国

不久有人对上下联:

余行道上不堪回首问前途

有人问讯:这个“余行道上”的“余”是谁?

回答:“余”就是杨度。他是夫子自道。

这副楹联的构思很巧,上联的“或、园、袁、国”与下联的“余、道、首、途”八个字的分合拆变虽属方块字游戏,但颇具机趣,如认为“或入园中”还稍嫌牵强;那么“余行道上”以及“回首”、“前途”则更为浑成、蕴藉,非大手笔不办。不要视作这是杨哲子自我解嘲之作,应看作这是他严于解剖自己、不怕触及灵魂的检查,与他晚年能够转变成共产党人的思维逻辑、言语行为是相一致的。以小见大,从一副对联来分析杨的觉悟与转变也是可以令人置信的。

挽陈宧母二联

陈　中

辛亥革命以后,陈宧由黎元洪推荐任参谋本部次长,代行总长职权,得见重于袁世凯。民国四年,袁世凯为了制约西南,以陈宧曾在川、滇任事多年，门生故吏多据川滇要职，遂特任命其为四川成武将军兼巡按使，开府成都。其姨表兄王奎楼，是安州名儒，特专程赴川求一官职，乃派王为川北某县县长，王赴任未及一月，因盗匪猖獗而弃职逃归，然心中常存愤恚。1918 年，陈母徐太夫人辞世，陈由北京扶榇回安陆为母治丧，王奎楼亦具挽联哀悼。其词曰：

正阶前玉树联辉，此去神仙真富贵；

设泉下慈萱见问，不才风骨总清寒。

可见愤激情绪溢于言表。办事人员报告陈宧说："王先生挽联似含讥讽、是否悬挂？"陈叫送来看了之后，频频点头感叹，答曰："悬于礼堂最显赫之处。"而最显赫之处则为陈氏宗祠大门两旁门柱，但已悬有黎元洪致祭的挽联。陈又指示可与黎大总统的挽联并排而挂。

三天之后大悼开始，远宾近朋、亲族至戚陆续前来献香行礼。王奎楼以姨侄至亲，亦参加祭礼。见自己所献挽联，竟与大总统的挽联并列，感愧交集，无地自容，自此与陈宧前嫌尽释。此事闻之于刘师法轲，时刘师任治丧处文书股长，故知之甚详。

由于好奇心驱使，我又请问刘师："黎元洪的挽联，你老还记得否？"刘师答曰："去陈母之丧已廿二年，隐约还记得一点。"其联大致是：

与哲嗣共掌戎机，烹酒谈兵，谊兼师友；

唯贤母独明大体，当机立断，功盖须眉。

刘师为我讲此事时，是 1939 年。陈宧逝世距今已超过半个世纪。黎之上联自不难解释。民初，黎任湖北都督，遥领参谋总长，陈任常务次长，可谓是“共掌戎机”了。辛亥前，陈任二十镇统制(师长)，黎任廿一混成协统带(旅长)官阶略低，而在许多重大策略上，黎常求计于陈，故曰谊兼师友。而下联颂陈母者，因陈在成都通电反对袁世凯称帝之前，尚狐疑不定，左右为难，于是决之于老母。徐太夫人言：“在北京时，汝与松坡(蔡锷)最友善，今松坡已举义于云南，迭电相催，此等大事，汝岂可后人耶！”于是，陈意始决。

据说，陈宧之通电与湘督汤芗铭、陕督陈树藩之通电，同时送达北京。时袁世凯已病入膏肓，适医生所开之处方为“二陈汤”。袁一见最心腹的二陈一汤也通电反对帝制，始知大势已去，事不可为了。乃自动取消帝制，还政民国。袁愧悔交加，不久即病逝。故黎元洪认为陈母徐太夫人为共和之恢复、为民国之再造颇著勋劳。此亦为外人所鲜知者。

于右任嫁女诗

王序平

国民党元老于右任的长女于芝芳许配与屈武。1922年春，于妻从陕西送女去南京成婚。临行，于赋诗四首赠女，题为《内子高仲林送楞女入京成亲媵之以诗》(四首)。原作如下：

一

春风苏百草，送尔出关门。
遇合从儿愿，追随念母恩。
家庭新创造，文学旧思存。
应念空山老，诗笺印血痕。

二

世人如我问，勉强说平安。
百战身将老，三年枕未干。
秦兵仍奋激，民党更艰难。
素蓄澄清愿，时危肯自宽？

三

海上攻书日，关中省父时。
岁饥兵不饱，女大嫁因迟。
多事添媒妁，无端累义师。
人心未可测，究竟有天知。

四

汝婿亦奇士,青年多美誉。
忧同屈正则,事类申包胥。
至理无贫贱,浮云有卷舒。
进修齐努力,嘉耦复谁如。

三绝才人胡固生

谷有荃

胡布衣固生,湖北天门人,胡子重之孙,其诗、书、画堪称三绝。每写生多采玉溪生诗题其上,恰如其画,妙不可言。书法海岳,题画横横斜斜,无不如意,别纸书之反不如画中之妙。襄阳看镜楼主人钱葆青仲宣《戊辰销夏百一诗》赞之云:“无声诗写有声画,绝妙诗题李玉溪;三绝才人三绝技,淋漓更是画中题。”

谢功肃的两副楹联

丁永淮

谢功肃，黄州人，清同治年间秀才，善对联。1927年，北伐军入黄州，谢作对联一副，贴于黄州河东书院正厅大柱之上：

爽气南来，春满黄州新党政；

大江东去，风飘赤壁汉军旗。

不久，谢又作对联一副，讥讽土豪劣绅，仍贴于河东书院正厅大柱之上：

大肚子富豪，敲人骨，吸人髓，忽听得三民主义，五权宪法，遽夺精魂，变为软弱病；

厚脸皮士绅，舔他屁，捧他卵，只落得两只糙手，一条臭舌，丧失人格，甘做裤裆丸。

徐世昌撰书赤壁楹联

丁永淮

徐世昌(1855—1939)，字卜五，号菊人，很少人知道他晚年自号水竹村人。1922年三月初一，他为赤壁书写苏东坡赤壁二赋，并撰楹联一副：“古今往事千帆去，风月秋怀一笛知。”落款即署水竹村人。跋称自己学苏东坡书法二十年。所书二赋为行书，形似坡体而有晋唐笔意；楹联为行草，用坡公体，形似而神传。徐氏所书两种刻板现均在黄州东坡赤壁，颇受游人赞赏。

章太炎为鲁宗鼎书画册题跋

吴文蜀

1930年8月，章太炎在上海收了一个时年十七岁的门人鲁宗鼎，是由名教育家马相伯老人介绍向章氏拜门的。章氏所收的门人中，拜门时年龄最小的，惟只鲁宗鼎一人。

鲁宗鼎字杉彬，江西黎川县(旧名新城)人。其父鲁瑾光，字芝祥，能文。1931年广东反蒋政府任唐绍仪兼中山模范县县长，鲁瑾光受唐绍仪之聘任秘书长。鲁瑾光是马相伯的门人。鲁宗鼎幼承庭训，在文史方面打下良好的基础，同时研习书画，已露才华。1930年夏，鲁瑾光带了时年十七岁的三儿宗鼎去上海，据鲁瑾光遗著《芝祥七十自序》手稿记载：“……挈三儿同游沪滨。三儿夙根甚厚，天资敏慧，八岁时即能书画，十二岁能诗文，颇得当代名流之赞赏。予抵沪后，率其往谒予师马相伯先生，一见嗟赏，叹为轶才，钟爱特甚，由是介而受业于余杭章太炎先生之门……”鲁瑾光在他的《自序》中并说，此后，上海出版界名人、书画家狄平子介绍鲁宗鼎入上海正风文学院就读，毕业于该院大学部。抗日战争期间，鲁宗鼎在重庆任职，日寇投降后来汉口就业。

七十年代中，经友人介绍，我与鲁宗鼎结为诗友，时有唱和。曾听他说，当年他随父亲去参见马相伯太老师时，曾携有他十五岁以前所作书画册求教，以后马相伯把他的书画册转示章太炎，章大为嘉赏，亲为题跋，并允收纳门下。

我曾于鲁宗鼎家索观此书画册。册末有章太炎、马相伯、唐绍仪、狄平子、桂坫诸名家题跋。章太炎在跋语中称赞鲁宗鼎画的“山水遒逸，令人有出尘之想。其竹石、花鸟、人物、杂画亦各有致”；对鲁宗鼎的书法，认为“分、隶轻美，微少沈著耳”，指出鲁书工力之不足。章太炎并说，“杉彬年未及冠而所为如是，岂其天材卓绝有人所不可仰企者耶”。可见章太炎对鲁宗鼎的才艺是多所肯定的。

章太炎也是卓越的书法家，他平日书法应酬多为篆书，行书颇少见。为鲁宗鼎书画册所作跋语一百四十余字，则用行书写成，落款下钤二印：一为白文“章炳麟”，一为朱文“太炎”。信笔写来不加雕饰，而气韵生动，法度井然，诚为书中珍品。

鲁宗鼎原在武汉房地产公司工作，于1976

年病逝，年六十三岁。前述书画册现由其家属保存。

张善孖赋诗征和

吴文蜀

川中张善孖、张大千昆季，皆以绘事知名于世，并皆工诗。善孖专绘虎，昔日客居鄂西苏浙时随时养虎供观赏，尽识其神态，故所绘虎栩栩如生。三十年代初，张善孖去上海，仍以卖画为生，向他求画的甚多，虽付高额润金在所不惜。有青年陈风字子恒者，眇一目，宁波人。常假张善孖之名画虎，在上海城隍庙出售，有的人乏鉴别力，且见售价颇廉，故易于脱手。事为张善孖所闻，又打听得陈子恒家贫，事亲至孝，因不欲追究，乃嘱人邀陈子恒来住处，对他说："我收你为弟子，你用张善孖门人的名义画虎卖，就卖得出去，今后就用不着假冒我的名画虎了。"此事在当时上海画坛传为佳话。此后，陈子恒就以张善孖门人身分专事画虎，历久不辍，技艺益进。

辛未(1931 年)夏五月，张善孖在上海满五十岁，作了《五十自述》五言律诗两首，嘱他的四弟张文修用楷书录于黄绢上，录有多幅，分送各方征求和作。绢高约三十厘米，长约一米，前面书自述诗并跋，后面空幅则备书和诗。当时，陈

子恒也得到一幅。以下是张善孖的原诗和跋语(原件无标点)：

五 十 自 述

五十飞腾过，艰难憩海滨。青山如可卖，白屋未妨贫。老去神犹王，诗成句渐醇。魏塘鱼芡足，卜筑奉慈亲。（八弟大千奉家慈居嘉善，拟长此卜居，朝夕尽莱舞之乐。）

匹马怜予壮，纵横关塞间。拂衣猿可学，入画虎能闲。东渡留残稿，西行忆故山。虚名愧相误，浪墨几时删！（予壮岁服官关内外，比年鬻画海上、扶桑，友人谬见称赏，求者踵接，殊自愧也！）

又跋云：

辛未夏五(月)二十七日嘱四弟文修录呈吟坛郢政善孖张泽未是草

陈子恒自得到乃师这件征和诗幅后，保存了四十六年，辗转各地，迄未找到适当的人赓和，以致诗幅的待和部位仍是一片空白。

陈之恒在七十年代初受聘于武汉民间工艺厂，职司绘虎图。销售国际市场，颇有效益。

1977 年(丁巳)夏初，陈子恒闻知受聘于武汉市文史馆的馆员王云凡擅长诗词书法，特地托人介绍去拜访他，提起乃师张善孖赋诗征和事，想请王云凡和诗。王是四川人，当年在四川，与张善孖、大千兄弟交往，并有唱酬之雅。陈子恒提出请求，王云凡欣然应允。王是我在武汉结识的朋友，时常见面论诗评字。这一天我去访他，时陈子恒已先在座，正持张善孖征和诗幅给王云凡看。王见我去了，即为陈作介绍，并指着我对陈说："还可以请他和。"我看过张善孖的首倡后，也就答应下来。

我让王云凡先和。他在绢幅上紧接着原作用他擅长的钟繇体小真书和了如下两首诗，并有跋语，转录如下：

汉上次韵

壮岁骎骎去，沧浪接汉滨。青山无尽画（放翁《入蜀记》备言青山之美），粉水似嫌贫。傲骨添生硬（大千有印曰"生张八"），雅怀倍觉醇。联珠华萼在，海外一相亲（君家兄弟多矣，惟大千在海外）。

画虎平生事，养之云梦间（善孖昔在鄂西苏浙间随处养虎）。狙公令弟赋，於菟乃兄闲（大千名季爰，好写长臂猿）。渡美藏真迹，还乡返道山（善孖赴美洲曾为罗斯福画像，回乡未几旋卒）。分携成隔世，旧句未烦删。

跋云：

余与善孖大千昆季自昔有唱酬之雅，四十年后，子恒以此诗嘱和，盖善孖二兄早岁作也。今大千远在巴西，未知子恒能为诗邮否。

云凡追和

在王云凡的诗后，我也用小真书次韵两首，

并有跋语。诗云：

追和善孖前辈

童子闻清望，乡同雒水滨（公籍内江，予产江阳，同傍沱江）。曾夸敌国富，亦谓立锥贫（公与介弟大千先生收藏均富，尝言“富可敌国，贫无立锥”）。侍膳莼羹沸，持身友道醇。嗟予倾白屋，何地可居亲（予家贫幼孤，随母寄居姐家）。

棠棣丹青手，蜚声广宇间，临湖卜宅静，渡海寄情闲。管翰惊黄浦，簿书瘁白山。缥缃移虎囿，林莽不须删。

我写的跋语云：

予儿时在故乡即耳善孖及大千先生昆季名。及负笈成都，始得观二公法绘，然迄未识荆。顷者善孖先生高足陈君子恒，出其师四十六年前征和二律嘱为次韵，因勉力敷陈应命，藉表对乡贤景慕之忱。

丁巳仲夏　泸州后学吴丈蜀　时客汉上。

我写竟和诗，绢幅尚余多半。经王云凡交还陈子恒。云凡于次年逝世。陈子恒尚健在，此次行文前即向他借来原件拍照。见幅中尚无第三人续和。

《雪里送炭图》

龚啸岚

京剧大师梅兰芳，1913年廿岁第一次到上海演出时，就与吴昌硕老人结交，吴送画给他。梅氏回京后便对绘画感兴趣，开始学画。民初梅已享大名，时齐白石移居北京以卖画、刻印为活，在上层社会还不太知名，每有宴集，亦不大为人注意。而梅兰芳向他学画，每遇这种场合，必然恭恭敬敬走到老人面前问安，并为他安排座位。宾客看到梅兰芳对这位老人如此恭敬，争问此人是谁，梅必以崇敬的心情高声回答："他是我的老师，名画家齐白石先生。"

齐白石心有所感，回去后画了一帧《雪里送炭图》给梅兰芳，并写了一首诗：

记得前朝享太平，
布衣尊贵动公卿。
如今沦落长安市，
幸有梅郎识姓名。

梅经常登齐白石之门，求教或观看老人作画，他为老人磨墨铺纸，老人又即兴写过两首诗：

飞尘十丈暗燕京，
缀玉轩中气独清。

难得善才看作画，
殷勤磨就墨三升。

西风飕飕袅荒烟，
正是京华秋暮天。
今日相逢闻此曲，
他年君是李龟年。

老人对当时军阀割据的“首善之区”用黑暗、荒凉、暮秋去形容它，称赞只有梅家缀玉轩中有干净的空气，而且预见这个政府必然倒台，梅兰芳会像李龟年那样，把唐王朝的兴废收在眼底，谱入曲中。

董必武挽严立三联

丁永淮

1941年，严立三愤然辞去湖北省代理主席职务，移居宣恩长潭河，于晒坪垦荒，兼任宣恩中学教师，决然不收省府送来的照顾物资。1944年夏，他身患前列腺炎，引起尿中毒，病逝于恩施，时年五十二岁。时董必武居重庆，特寄挽联一副：

贻我一篇书，语重心长，自探立国千年奥；
奠君三爵酒，形疏礼薄，难写回肠九曲深。

陶行知书“艺壮山河”额

李啸海

“艺壮山河”，这四个端庄遒劲的大字，是我国著名教育家陶行知在抗日时期为宜昌抗战剧团亲笔题写的，书法照片至今还珍藏在宜昌博物馆。

1938年，抗日烽火在祖国大地燃烧。陶行知毅然奔赴处于抗日前线的重镇宜昌，所到之处，向民众演讲，鼓动军民团结一致，奋勇抗日，挽救民族的危亡。当时宜昌市学院街有一所闻名的学院街小学，是共产党人和革命进步人士聚集的地方。10月22日，陶行知专程来到这所学校，接待他的是校长、共产党员张世定。张校长向陶介绍了宜昌进步青年组织的抗战剧团就设在这里。党的地下组织负责人孙世实、钱瑛、何功伟、张清华等都是剧团的领导骨干。这批文艺勇士，面对日本飞机的狂轰滥炸和顽固派的暗算，忍饥挨冻，艰苦跋涉，奔波于万县、宜昌、荆沙一带，为民众演戏教歌，激励人民奋起抗日。演出的剧目有《保卫卢沟桥》、《古城的怒吼》、《凤凰城》、《民族至上》、《出征》、《放下你的鞭子》等六十多种；向百姓教唱的歌曲有《黄水谣》、《流亡三部曲》、《打回老家去》等数十首。剧

团每演出一次，当地父老兄弟都纷纷为抗战捐款，捐粮，送寒衣，写慰劳信。有一次，演员们得知沙洋有一百多个孤儿处于水深火热之中，就足登草鞋，昼夜兼程，赶到沙洋救出了全部难童。

陶行知听得张校长的这些介绍，连声为英勇的革命文艺战士们叫好。晚间，陶行知来到学院街小学，同大家一起坐在校园的露天操场上，兴致勃勃地观看抗战剧团演出自己创作的《山城的怒吼》、《民族至上》等戏剧。演员们炽热的抗战激情使陶行知深受感动，夜深了，演出结束了，他来到剧团工作室，亲切地看望全体人员，并即兴挥毫，为剧团题写了“艺壮山河”四个大字，勉励他们为打倒侵略者进行文艺战线的冲刺。张校长和抗战剧团的人员以及学院街的师生们，永远不会忘记这一天。

章鸿钊祝李四光六十寿辰词

谈　瀛

章鸿钊(1877—1951)，浙江吴兴人。毕业于日本东京帝国大学地质系，与丁文江、李四光、翁文灏都是我国地质学界的先驱者。生平地质学著述很丰富，在矿物、岩石、地质构造、地质学史等方面，都有重要贡献。且兼工诗词。尝赋七律一章，自述治学精神，诗云：

治学何尝有坦途，羊肠曲曲几经过。
临崖未许收奔马，待旦还应儆枕戈。
虎子穷搜千百次，骊珠隐隔万重波。
倘因诚至神来告，倚剑长天一放歌。

1948年11月，李四光六十寿辰，原中央研究院地质研究所为李祝寿，刊有《李四光教授六旬寿辰纪念册》，章撰祝寿词《南乡一剪梅》，刊于卷首，词云：

地史掩蒿莱，长待先生抉剔来。手种门墙桃李满，红也花开，白也花开。海外且衔杯，星历刚从大地回。著述新来添几许，行遍天涯，誉满天涯。

其时李四光犹在英国讲学，不及回国参与。

骚坛诗社

来层林

在屈原诞生的山村——秭归县乐平里，有一个地地道道由农民自发组织的“骚坛诗社”。明清以来，每年夏历五月端午前后，农民诗人们轮流作东聚会，饮酒赋诗，言志抒怀，尽兴而散。此举在“官史”中虽无记载，民间却有不少轶闻。

清朝末年，归州来了一位州学训导李香斋，

听说乐平里有个“骚坛诗社”，便命省立“荆南师范学堂”毕业的周陶卿陪他去见识见识，并要坛东谭启文以他来访为内容当面写诗，然后由他作答，看谁写得快写得好。谭启文略加思索，写了一首七律：

忽逢大敌战骚坛，
风雅宜人眼界宽。
愧我抛砖聊引玉，
劳君说项共瞻韩。
青莲逸韵千秋在，
白雪阳春一曲弹。
只恐江郎迷五色，
行间珠玉等闲看。

接着诗友们每人写了一首给李作答，使他瞠目结舌，一首也答不出来。周陶卿见势不妙，只好吟了一首认输诗：

香山高会气如虹，
五岳归来眼更空。
才富羡君推倚马，
技微愧我似雕虫。
曾经沧海难为水，
甘向骚坛拜下风。
觅得诸公佳句在，
呼童收入锦囊中。

近年来骚坛诗社越办越好，已有《骚坛社员诗词选集》出版。

张柬之撰书墓志铭之发现

伍绍于

1980年余居襄樊市照明小学，偶然在一王姓老师门前发现一砖砌底座上覆方形青石桌面之边侧有花纹，觉有异，俯身探视，见石桌面背后刻有字迹。当即请王老师许我将石翻转详看。知刻字乃襄阳唐代张柬之为其三弟庆之撰并书之墓志铭。石长宽各约50厘米，厚12厘米许。边侧刻有花纹。序文一百五十二字，铭十二句四十八字，字口完整。楷书，笔法瘦劲，有褚遂良笔意。序、铭中“年、月、日”诸字均为武则天所造之字形。余请王老师妥为保管，随即告知有关部门,襄樊市文物管理处便将原石运去收藏。

《鲁迅日记》载丙辰年(1916)十一月二十六日“……午后往留黎厂买石刻拓本……襄阳张氏墓志十种十六枚。一元。”清人方若,近人王壮弘著《增补校碑随笔》中亦有记载:“襄阳张氏墓志铭十种,皆汉阳文贞王张柬之家墓志。书法精美。始于道光廿二年于樊城长丰洲田间出三石,又于临汉门外出二石,次第续出计十石。”顾燮《石言》云:“近闻襄阳李佩葱先生致范影卿道尹函云:各志向藏襄阳中学堂,辛亥之际,军队占居用以砌灶,遂全炸裂。”顾氏所言“全炸裂”不确,《襄阳张氏墓志》原石十块,现剩有三石藏襄樊市文博馆。

衍圣公孔令贻之墨迹二帧

伍绍于

余尝在襄阳坊间购得孔子七十六世衍圣公(1935 年令改称大成至圣先师奉祀官)孔令贻行书对联一副、小楷斗方一幅。对联曰:

玉沙瑶草连溪碧

流水桃花满涧香

斗方原文无标点,文曰:

辟夫芳林落蕊,空照灼而无依;兰沼漂洴,徒青翠而奚托。是知偏工易就,尽善难求。虽学宗一家，而变成多体，莫不随其情欲，便以为姿：质直者，则径挺不遒；刚狠□者又倔强不润；矜敛者，弊于拘束；脱易者，失于规矩；温柔者，伤于软缓。

字迹工整秀美，颇有赵字笔意。书写时间为丙午仲夏，系清光绪三十二年(1906)，孔氏中年之作。

杨守敬书法作嫁奁

朱九如

杨守敬字惺吾，湖北宜都人，晚清举人。早年随黎庶昌莼斋，以随员身分出使日本。回国后，曾任黄冈县教谕，其地有东坡赤壁，因自号“邻苏老人”。晚年生活萧条，鬻书沪上。先生为近代著名书法大家，造诣极深。又精于鉴赏，收藏图书碑版甚多。先生常云：“余藏书数十万卷，海内孤本亦逾万卷。”又云：“世之藏书者，大抵席丰履厚，以不甚爱惜之钱财，或值故家零落，以贱值捆载而入。余则自少壮入都，日游市上，节衣缩食而得。在日本则以所携古碑、古钱，古印之属易之，无一幸获者。”先生生平不脱寒素家风，外传有以书法作女儿嫁奁的传说。此事，余知之颇详。吾族前辈粹如二伯迎娶者——亦即我的伯母，即先生之女。闻乡里父老谈及，嫁

奁中随衣箱并列者即有杨先生亲书对联、条幅、横披一箱。村妇看嫁奁，打开此箱，不禁大笑，传为美谈。此箱书件以后迭经兵燹，散佚甚多；所存者，亦因家境衰落，为后人贱卖一空，殊堪浩叹。尤堪太息者，以杨先生之品行学问，及其著书之丰富，亦落得两袖清风。自古所谓“诗不救贫”，信然。

泥巴腿书生

谢守道

清季沔阳城民间书法家谢汉南，系我远房曾祖。他不附世俗，自甘清贫，有菜圃亩许，赖以为生，常对门前一池碧水青莲习字，歌曰：“吾无他求兮，心天地而遨游于墨池足矣！”五岁习字，三十岁成名，一生致力于翰墨，造诣颇深，在书道上主张识古形体而不泥古，明古法度而不拘绳墨，讲究蓄志悟道，蓄境悟化，力求独创，自成风格。他不攀附权贵，被人视为“泥巴腿书生”。他反问说：“我一不泥古，二不泥俗，何泥之有？要说泥，倒是有点泥土香味，但总比那班图名利、附炎势、拘绳墨、追表象、食古不化者好得多，难怪落花有意，流水无情。”说得人家无言以对。

他的书法和才华只受到一个人的赏识，那

就是沙市巨富、汉口商会会长、钱铺老板邓某(忘其名)。邓延请他为家庭教师,教课其子。时有汉口汉正街官办盐行，主事者是道台班子，征书“淮盐公所”四字门额,应征者百人,但均不中道台意。

邓欲让谢来汉应征,一展才华,即回沙市,偕他乘船至新堤,方对他说明去汉的目的。

这件事对谢来说,原是不愿去干的,但想到邓一番好意,只好同意。及到汉口,备楠竹作笔如椽,上悬两环,由邓陪往应征。

淮盐公所有个自定的规矩,凡来应书者,先是献茶一杯,字书就之后,如果不再敬第二杯,自己就得知趣离开。谢一杯茶吃过,手挥巨笔,一口气书就“淮盐公所”四个大字。道台见谢写的字刚柔相济,清峻厚实,连声赞美。当即设宴款待,并馈赠白银四十两。事后,邓亦深感汉南为他争了面子,特赠礼金大洋四百元。

从此,谢汉南的书法名气大振,当时宜都的大书法家杨守敬看了他的字也赞叹说:“吾书虽传名于东瀛,却不能与谢公抗衡于汉皋。”

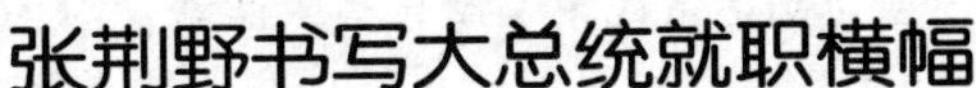

张荆野书写大总统就职横幅

丁永淮

1912年1月1日，中华民国临时政府在南

京成立，孙中山就任临时大总统。这天，孙先生宣誓就职仪式的横幅是张荆野书写的。

张荆野(1864—1922)，字凤巢，号翼轸，湖北黄冈县人。自小勤练书法，为人赏识。光绪丁酉年(1897)擢拔贡时，主考官张之洞于试卷上批曰："张氏之笔功，存魏晋之风，具颜柳之格。"大总统宣誓仪式前，孙中山对临时政府秘书长胡汉民说："请张荆野写中华民国大总统就职典礼的横幅。"这时张荆野任总统府秘书，他的横幅写好后，孙中山称赞说："字字刚劲豪放，张公真乃名副其实的书法家！"

张荆野书趣

左　中

张荆野工书，篆、隶、真、草无不精妙，且下笔谨严。据说他书铁线篆须闭户独自静坐片刻方下笔，人称其"远宗汉魏，法本苏黄"，"合北碑南帖于一炉"。张于北京任清廷八旗官学教习时，曾为光绪帝代笔书赠日本人楹联："海为龙世界，云是鹤家乡。"光绪见其功底不凡，赐砚两方，传说砚为赵孟頫、朱竹垞遗物。一时声名大振，求字者"不绝于官舍之门"。张之洞本为名笔手，轻不许人，亦曾请公至署挥毫。黎元洪、蔡锷都请之泼墨，袁世凯索书遭拒。"中华民国大总统就职典礼”之横幅为张所书,孙中山赞曰:“字字刚劲豪放!”

1963 年 6 月 16 日，熊十力在新加坡举办“张府君荆野先生暨其女公子清和展览会献言”中有一段话:

“荆丈有一时困于北京,适有显贵,姓郭名汾阳,号子美,向荆丈求书。丈曰:‘吾字须卖钱,不赠贵人也。’郭曰:‘君试作一联而书之,予看后,当酌付价耳。’荆丈即时题其纸曰:‘古今双子美;前后两汾阳’,郭乃狂喜,袖出白金八百两,笑谓丈曰:‘敬致薄仪。’此事传出,人皆称荆丈文才捷然。有议其近于谀者,余曰,议者识浅,未解古史诛意之法。子美诗圣,千数百年来无异词;汾阳以至诚感庸猜之主,威信行乎四裔,保固中夏,其光昭日月,功德深厚也。今郭以浅夫昏子,而妄号子美,妄名汾阳,窃比于历史上两巨人,比其愚且贱之蓄于意者,甚无忌惮,荆丈故直揭其意而书之以诛其恶,非谀也。”

钱葆青赏识郭石柯

谷有荃

郭石柯(?—1923)江陵人。工篆分,擅刻印,在陈曼生、赵次闲之间。宜都杨守敬惺吾对其推崇备至,用印多属石柯所为。襄阳名宿钱葆青(仲宣),与其交五十年,过从甚密,钱少时常与论印。时鄂中万观察梅岩,喜藏书,嗜金石,好宾客。仲宣常客万家,而石柯则依之者三十年,此风为鄂人所罕见也。

民国十二年癸亥冬,石柯客死汉阳,仲宣拟为刻石其墓,题曰:江陵高士郭石柯之圹。

戊辰夏,仲宣怀故旧郭布衣石柯,有诗云:

古文模写郭忠恕,眇目真为吾子行;
寂寞琴台台下路,何年为勒石柯铭。

吴昌硕刻“清流激湍”印

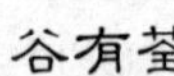

西泠印社为我国成立最早的民间印学组织。创建初期,社中印友仅十余人,然尽皆海内书画篆刻名家, 一致公推吴昌硕为印社首任社长。印社定期举行雅集,研讨印学,切磋印艺。曾以王右军《兰亭禊帖》摘句为印,开了篆刻艺术集体创作的先河。在创作过程中,对“清流激湍”一印,因其四字同为水旁,要在篆法和章法上布置妥贴,使四个水旁有所变化,而不雷同板滞,诚非易事。众皆视为畏途,望而却步。谓吴昌硕社长本领最大,此印非他莫属。遂由吴刻之,众无不倾服。后吴在其总结篆刻经验时说:“余癖斯亦既已有年,不究派别,不计工拙,略知其趣,稍穷其变。”盖“穷其变”实篆刻艺术发展创新之关键所在。

于学忠学书法

章　轩

东北将领于学忠年轻时喜爱书法，苦于不谙用笔、结字、章法之规矩法度。1918年，于任北洋陆军第十八混成旅炮兵营长，驻扎襄阳，闻当地士绅张文伯，乃桐城名门望族，善诗文，尤擅书法，即登门求教。初次相见，言谈甚洽，对张所书行草甚为佩服，当即示书。兹后，学书兴趣益浓，有暇即临帖、背帖、与张切磋书法，遂成文字交。

越二十二年，张文伯赴北平访友，住河北省政府秘书长查际午府中。时于学忠正主政河北，得知张至，深念故交，热情接待，留张为私人秘书。

唐源邺为何更名醉石

谷有荃

著名金石家唐醉石，湖南善化(今长沙)人。原名源邺，小字蒲佣，号醉龙，醉农，韭园，中年以后多署醉石。自幼父母早逝，随外祖父客杭州。曾自刻“少孤为客早”一印以志之。其外祖父李辅耀，号幼梅，晚号和定居士，湖南湘阴人。光绪二年(1876)丙子科副榜，浙江候补道，旋以中书改官浙江，定居杭州。辅耀博学多才，工诗善画，尤精汉隶，工篆刻，然不轻作。唐源邺亲侍其旁，深得庭训，乃醉心于金石、书法。留心印材，尤有石癖，每得佳石，必摩挲把玩不已，如醉如痴，几欲袍笏而拜之。辅耀见其嗜石如痴，乃书隶字匾额“拜石”二字相与，以励其志。自此遂自号“醉石”，并以“醉石山房”名其斋。

李兆麟诗书画知名于世

席炼文

李兆麟(1868—1953)字伯桢，号霞轩，又号遐宣。湖北随州安居镇人。李氏为随州望族,世代书香。其叔祖李树人善楷书,任职北京时,求书者络绎不绝,深为曾国藩所许重,嘱其子向他学书。李兆麟早负文名,为清光绪甲午(1894)科第九名举人,与我省著名学者武昌钱桂笙为乡试同科。出仕前,曾被同邑何星三礼聘为西席,教其子何成浚(字雪竹,清秀才,后留学日本,曾加入同盟会,任国民党时期湖北省政府主席、湖北省参议会议长等职)兄弟三人读书。

李氏辛亥革命前后至抗日战争前,历任山西十余县县长,因其廉洁爱民,在该省曾获"老成练达,政通人和"的评语。1915 年任浑源县长,离职后士民怀念不已,十五年后于 1932 年又应该县士民之请而返任,其政绩可概见。抗日战争爆发后,见内忧外患,已厌于官场,乃辞去一切职务,避难于晋西山中。此时在给其在随州的侄子李菊秋写信时,备诉颠沛之苦而致泪渍纸墨。1942 年辗转至西安,时已年过七十,为了生计,受友人之邀请,任陕西省政府秘书,至 1950 年因年老体弱,申请回鄂,经陕西省人民政府同意并予资助回武昌定居,未几病卒。

李兆麟于诗、书、画造诣极深,深受许多书法爱好者、收藏者所珍视。他的楷书从柳(公权)入手,而融以欧(欧阳询),端整劲润,行草师二王、孙过庭和李北海。赴任山西之前,书名即为时所重。当时随州人以得一幅他的字为荣。我家中过去留有他的墨迹较多,其中以他乡试得中

后第二年即光绪二十一年(1895),为我的曾祖父席湘三六十寿辰写的八幅贺屏为最好，纯以柳诚悬笔意出之,深为当时和以后的识者所赞赏。当年他才二十七岁,加之科场告捷,故创造出一些艺术精品是可理解的。由于他在山西时间长,在那里也书名远播,寸缣只字,人争宝之,索求者门庭接踵。为了应付众多的求书者,他在寿阳县时,曾刻有楷书石碑,应付不过来时便将拓片相赠。我学生时代曾在他的老家安居镇见到用这个碑的朱拓装成的横幅，现在恐怕连这样的拓品也难找到了。

李兆麟向来俭约(不吸烟,不喝酒),所好惟书画而已。他善画兰竹,深得二郑(郑所南、郑板桥)笔法,据说在三晋颇负盛名。前些年我还见到他官寿阳时为其族人某画的一幅墨兰，集刚健与婀娜为一体,自然纷披,妙趣横生,再加上用一手精妙的王体行书字作题款,书画一体,珠联璧合,殊属可宝。

李氏的一生,虽有一段从政时间,但仍可以说是艺术的一生。由于他在外时间长,而在本地留下的书画作品，又多是他赴任山西前的青年时代的作品,几经战乱,剩者也不多了,故为人所少见,其名字也少为省内人士所知。

对米芾书“第一山”的两种比喻

李吉兴

武当山有米芾书的“第一山”碑刻。据当地人说,对米芾书写的“第一山”三字,有如下的两种比喻。其一,美人绾髻不用簪,“第”字犹似金丝盘;游龙戏水“一”最好;仙人打坐写成“山”。

其二,“第”字如顶上插花,“一”字如蟒蛇出洞,“山”字如万岁临朝。

剧坛琐录

谭鑫培故里在武昌沙湖

龚啸岚

京剧名伶谭鑫培，旧社会称之为“大王”，新时代尊之为“大师”。戏曲史学家马彦祥认为他是汉剧北上后进行变革、开创流派的关键人物。

他是太平天国革命大军出洞庭攻武汉时，由于故乡武昌城外已成战场，随其父谭志道北上谋生的。约当1852—1853年间，那时他还是个六七岁的孩子。从现有的资料看，他在北京成名后，没有回过家乡。但戏曲界都知道他是湖北省江夏县(今武昌)东门外人氏。直到20世纪80年代《中国戏曲志》的编辑工作排上日程，“湖北卷”征集资料时，像谭鑫培的条目，当尽可能详尽些，可是武汉久经战乱，人口迁徙变化很大，一直不能查实谭氏家族东门外的里居。

1929年程砚(艳)秋第一次南下，谭小培曾搭班同行，在汉口新市场大舞台(今民众乐园江夏剧场)演出过，这可能是谭家门第一次南下。三十年代第四代谭富英两次随梅兰芳、程砚秋在汉口唱红后，1935年光明戏院邀他挂头牌，小培以封翁的身份陪子再来旅游，曾到大东门外寻根祭祖，可惜没找到姓谭的村落或谭姓后人。当时小报上有过报道，说是只能望空烧化带去的香烛纸帛。这已是半世纪以前的旧闻了。

湖北省文史研究馆馆员谈海客(瀛)先生，是同人中的一部“活字典”，前年他移居中北路东亭小区，记起辛亥革命老人、人称“麻哥”的刘成禺是此间人，于是重阅所著《洪宪纪事诗·本事簿注》，发现刘麻哥与谭鑫培同乡同里，即抄原文见赐，给戏曲志湖北卷解决了一桩悬案。

刘禺生的《簿注》写道：“内庭供奉谭鑫培，亦名小叫天，湖北武昌省城小东门外沙湖人……此谭须民国初年对余自述。予因与鑫培为同邑同里人也。”

谭鑫培髫年北上，不悉东门尚有大小之别，大为宾阳门，小为忠孝门，沙湖在小东门外迤北，未亲履其地又何以得知。

湖北省戏曲史料调查近年颇有所获，《中国戏曲志》副主编马彦祥生前曾于罗田县获余三

胜家谱；分卷编辑王俊、方光诚又去崇阳县查到最早北上名伶米应先(喜子)故居、遗物，有争议之籍贯问题亦迎刃而解。此与谈海老见微知著，为谭鑫培故里找到信史，同为可喜快事。

男旦刘筱衡被迫联姻

吴幼元

20世纪20年代初期，武汉三镇哄传江南美旦刘筱衡被迫与鄂督王占元之女结婚事。那时我正在汉口读中学。

刘筱衡是男旦角，唱腔圆润、扮相俏俐，有江南美旦之称，成为官僚富商的姨太太、阔小姐们追求的对象。其《祭江》、《盘丝洞》两剧，表演细腻，使人百看不厌。而洁身自爱，作风正派，尤受观众好评。

湖北督军王占元之女(名已忘)，年已及笄，待字闺中。由于喜爱京剧，看了刘的演出后，一见钟情。当时刘常在法租界大舞台、老圃等剧院演出，王女总是紧跟刘后，包厢独坐，风雨无阻，刘虽略有察觉，但落花有意，流水无情，始终不予理会。

几个月后，王女派人到刘住处，指定日期、时间，约刘在大三元酒家见面，并说“不去也得去”。刘无奈，按时赴约，说明吃了饭来的，不吃酒菜。王女提出结婚问题,刘以现在年轻,正是献艺的时候;何况家贫,以演出为生,还有琴师、跟包等人都靠他生活。实则齐大非偶,婉词拒绝。王女说:你不是为了几个钱吗?说出个数字来。三天后,在“大三元面谈,如果不愿意就不必来,那就等着瞧吧”。词色俱厉,不欢而散。

三天后,刘母会见王女,说明不能高攀这门亲事的苦衷。

但数日后,当刘演出时,督署宪兵来到戏院把守大门,不许观众入内。一连换了几个戏院,都是如此,戏院老板不得不与刘解约。在这样的情况下,刘王进行谈判,由王女付出三万二千元,以三万元为刘父母养老金,二千元作琴师、跟包遣散费。择日举行婚礼。

王占元是不同意这桩婚事的,但对从小娇生惯养的女儿,也无法施威,只好答应。此事霎时哄动武汉三镇,再加上好事者的渲染,极富传奇色彩。

不久,王占元被萧耀南驱逐,举家北返,刘则迁居上海,夫妻和睦,生子长大后入富连成班,为正字辈,取名刘正泰,与顾正秋(名花旦)、关正明(名老生)同班。

1952 年,我在上海,有一次老艺人会演,刘筱衡亦参加演出,虽已年老,仍有当年风采。

王余合影

柳　莎

劫余之后，家中保存了惟一的“横扫四旧”中漏扫的照片，竟被拦腰一折，残痕刺目。这是半世纪前王又宸来汉演出，与余洪元的合影。上有剧评家易海翁的题识：“京汉剧老生泰斗王/余君元宸/洪元撮影汉滨　用志鸿爪　时癸酉冬腊易海翁识。”末附有海翁阳文篆体印章，古拙可玩。

余洪元，字丹圃，湖北咸宁人。清末，以汉剧老生，驰名于荆州、沙市一带，嗓音宽洪甘醇，尤工袍带戏，唱做兼长。善于刻画人物，开掘内心世界。民国初年，与京剧合班演出。1923 年，并赴北京献艺，获有好评。

名伶动物癖

柳　莎

一

京剧名净金少山，黄钟大吕，发聋振聩。平时则喜爱豢养动物。如小老虎、哈巴狗、猴等。其中尤以猴最受宠眷，终日相伴，形影不离。上戏前，常与其猴商量："山儿！我要上戏了，让我走吧？"有时甚至误场，不得已，临时改以它戏相垫。

二

川剧生角王子成，擅长历史剧。对列国、三国戏最熟。演全本岳飞时，人称"活岳飞"。爱鸟，常鸟笼不离手。又喜蓄蛇，贮以精养之木匣，纳三五条乃至更多，坐卧不离。

狂飙剧团

田 庄

这个小小的狂飙剧团，是在烽火连天中诞生的。起名者是诗人、现代散文作家李广田先生。当年他在山东省立济南中学任教。“七七”事变后，学校由校长孙东生先生率领流亡南迁。先后经过山东泰安、河南许昌，在赊旗(社旗)镇，学生们成立了抗敌救亡工作团。其中有个话剧组，学校每月只津贴一元钱，其余靠自力更生解决，服装、道具几乎全部借用。观众听不懂山东土话，就向当地老百姓学习方言、土语。首次演出《放下你的鞭子》、《九一八以来》、《省下一粒子弹》等救亡戏，受到老百姓极大欢迎。随后到了鄂西郧阳，成立湖北中学。救亡工作团就只留下这个话剧组。也就在这时(1938年)，话剧组扩建为狂飙剧团，只有二十余人，请音乐教师瞿亚先先生为团长。后又随校入川，沿途经过陕南及川北各县、镇，作救亡宣传演出。路经二千五百余里，由街头剧《放下你的鞭子》到洪深的多幕剧《米》，积剧目四十余，观众达十万余，为伤兵募捐数千元。1939年春到达四川罗江县，学校又改名为国立第六中学第四分校。剧团也以缩写校名改为“六·四剧团”，成为该校在当地的一支抗日宣传的主力军。

首次排演古希腊悲剧

田　庄

抗日战争进行到第五六个年头时，四川江安国立戏剧专科学校，首次排演了希腊三大悲剧诗人之一的攸立匹德斯的《米狄亚》(罗念生先生译为欧里庇得斯、《美狄亚》)。排演本是根据《世界文库》中的译本，由该校当时话剧科主任、戏剧教育家陈治策教授导演。主要演员由崔小萍饰米狄亚、王开时饰爵逊(罗念生先生译为伊阿宋)。高职科同学参加合唱。当时条件极端困难，饰演爵逊的王开时，披了一条稍经加工的旧毛毯，这就算是男主角爵逊所穿的服装了。虽然是排演，装置很简陋，但这是我国剧坛首次排演的古希腊悲剧，值得一书。

均县禁演《秦香莲》戏

周广庆

家母姓陈，均县人，自称是陈世美的后代，

陈氏家族世代居住在均县土桥镇一带。

家母回忆说，每到春节，全族人都祭祀陈世美。过去，土桥镇有专门供奉陈世美的祠庙。陈氏家族是当地的显族，人多势众。光绪年间，河南一戏班到均县演《秦香莲》戏，陈家族人砸戏台，打演员，把戏班赶走。此后，均县民间自行禁演《秦香莲》。笔者家乡湖北宜城喜演《秦香莲》戏，家母从来不看。

笔者曾听舅舅说，陈世美出生那年，均县出现前所未有的大旱，庄稼干死，收获的稻谷、玉米是瘪子，所以陈世美父亲给他取名叫年谷，又叫熟美，希望年年庄稼子粒饱满(即"熟美")、五谷丰登。后来陈世美中了状元(按陈世美实际考中的是进士，"状元" 是陈氏后裔的夸张)，当了官，人们就开始传说，陈世美出生时之所以大旱大荒，是由于陈世美是"真人"，同土地爷神相克的结果。陈世美死后，陈氏后裔为陈世美建祠供奉，祈求人丁旺盛，五谷丰收。

我舅父是当地有名的老戏子，但他从不演、更不看《秦香莲》。他还说，陈世美是孝子，也是清官，《秦香莲》戏是陈世美得罪了同到京城赶考而又接济过他的秀才，为发泄气愤而编的戏，并不真实。

从史实看，包拯是宋代人，而陈世美是清代人，前后相距六百年，很显然，《秦香莲》剧中所塑造的升官发财、忘恩负义而抛弃前妻的陈世美形象，不过是文学作品的艺术编造罢了。

按：均县土桥镇因丹江水利工程提高水位而淹没。今并入丹江口市。

谭鑫培释盗

柳　莎

谭鑫培初到北京时，某晚有梁上君子光顾，谭于内室察知有异响，即潜身而出。贼惊觉，越屋脊而遁。谭纵身跟踪，紧追不舍。夜深人寂，街面清静，贼魁梧善走，谭急伏地翻滚，以扫蹚腿击倒。贼哀告以家贫无力赡养家小，且以未动器物求恕。谭视其出言质朴，身手亦不弱，因纵之去。

同治皇帝两游赤壁诗

丁永淮

清穆宗同治皇帝爱新觉罗·载淳(1856—1875),六岁登基,十九岁去世,未曾听说长于作诗,但却有两首游赤壁诗,作于同治癸酉(1873)年。一为《赤壁前游》:

江山景自佳,况此清秋夕。健游挟飞仙,举酒属佳客。洞箫倚南歌,兰浆泛空碧。一苇纵所如,水光涵浩魄。东流去不返,霸业感畴昔。横槊谁赋诗,英雄久陈迹。风月常如新,匏尊欣共适。溯洄念伊人,露气葭洲白。

一为《赤壁后游》：

高人喜清游，兴与山水适。赤壁重泛舟，雪堂挈二客。新秋曾几时，风月自清白。举网欣得鱼，携酒娱今夕。巉崖青不改，断岸见千尺。沿波复解缆，履险更蜡屐。胜景探无穷，凭眺殊今昔。长啸独归来，鹤梦江天碧。

都是隐括苏东坡名作《赤壁赋》、《后赤壁赋》而成的。

黄炎培梁启超游赤壁

雍　怀

1922年，黄炎培、梁启超从长沙讲学归来，道经汉口，是年恰为壬戌年，七月既望，与苏东坡首游赤壁月日相同。他们乃坐船下黄州之赤壁，明月中天，长江如画。忽隔窗有人吸鸦片，黄炎培指语梁启超："客有吹洞箫者！"两人均大笑。1955年，黄炎培回忆游赤壁之遇，为赤壁作《清平乐》词：

周郎折戟，舞起东坡笔。壬戌后先秋七月，人在黄州夜泊。洞箫今已无声，人人努力更生。社会新迎主义，江山长享和平。

蒋介石拨款修隆中

周达斌　张晓春

民国二十一年(1932)十一月,蒋介石视察鄂北,到了襄阳。在湖北省第八区行政督察专员刘骥和国民党驻军第四十一师师长张振汉的陪同下来到隆中,“慕侯之为人谒祠而敬礼之”(见隆中碑记,下同)。时刘骥“乘间以拨款修祠为请”,蒋介石“助五千元以成盛举”。这样,除旧有的武侯祠、三顾堂、抱膝亭、野云庵等景点被修饰得焕然一新外,还新建了中正堂、铜鼓台、荷花池、淡泊亭。更建宿舍、憩亭以供游人下榻歇息。这些建筑工程始于民国二十二年三月,当年初秋竣工。

在此之前,刘骥还责令襄阳县第一区区长龚恒甫、第二区区长胡子琦集民夫一万三千名,于民国二十一年十二月修建了湖北省第一条旅游公路——襄(阳)隆(中)公路,并镌石为记。

蛤 蟆 碚

高应勤

灯影峡中的扇子山下，有一个名叫蛤蟆碚的石灰岩溶洞。洞中有一股汩汩的清泉，流经蛤蟆碚背脊和口鼻间，喷珠溅玉，若练若帘，垂于江中，砰然万里。这股泉水就叫蛤蟆泉。它发源于百里之外的苍岩。唐代陆羽在他的《茶经》专著中记载了这股泉水。说“峡州(今宜昌)扇子峡蛤蟆口，水第四”。从此蛤蟆泉就以“天下第四泉”闻名于世了。

蛤蟆碚，石呈椭圆体，长约 30 米，宽约 8 米，迎面望去，但见圆圆的额头，高高的鼻梁，鼓眼睛，大嘴巴，尤其是那棕色的背脊上，长着许多疙瘩，就像是一只匍伏在江边的癞蛤蟆。南宋文学家陆游在他的《入蜀记》中也说：蛤蟆在山麓临江，头鼻吻颔绝类，而背脊疱处尤逼真。

蛤蟆泉的洞口底宽四米，右侧壁高二米多，左侧壁高一米多，呈不规则梯形。洞室幽深，长约三十多米。洞内石气清寒，冬暖夏凉，气温宜人。陆游在《入蜀记》中说：“是日即寒，岩岭有积雪，而洞温如春。”洞壁中垂吊着许多黛绿色钟乳石，奇形怪状，千姿百态。泉水从山腹深处流来，至洞室汇成一池，池水清冽，澄碧可爱，鱼虾嬉游池中。入洞涉水前行 30 米处，洞口向右转变窄，洞内黑暗无光，深不可测。宋欧阳修《蛤蟆碚》诗云："石溜吐阴岩，泉声满空谷。能邀弄泉客，击舸留岩腹。"道出了此泉源远流长，泉水叮叮咚咚的景象。

蛤蟆泉水色清冽，甘美可口，沏茶酿酒，自古闻名，历代文人墨客多慕名而来，饮泉吟咏，留下了不少诗文。据说，在封建社会里，不少地方官吏，派人用瓦罐装此泉水，孝敬皇帝和上司。如今，蛤蟆碚已成为过往三峡的游人最喜爱观赏的胜地。

牛肝马肺峡

高应勤

壮丽的长江三峡两岸，多奇山异石，如瞿唐峡中的倒吊和尚，巫山望霞峰上的神女，灯影峡石鼻山下的唐僧、孙猴子、猪八戒和沙和尚，都可算是大自然的杰作。牛肝马肺峡中，那高悬在绝壁之上的"牛肝"、"马肺"，也以形状逼真而闻名遐迩。

牛肝马肺峡，在青滩下十余里。峡中峭壁千寻，奇峰突兀，云飘雾绕，若明若暗。其间，江流湍急，犹如一幅浓笔淡抹的水墨画。南宋诗人陆游入蜀时，过此以《过东瀼滩入肺峡》为题，写了一首旅游诗，诗云："船上急滩如退鹢，人缘绝壁似飞猱。口夸远岭青千嶂，心忆平波绿一篙。"

行船此段峡谷，仰看北岸石壁间，上有几片黄色的岩石，重叠下垂，一簇岩石酷似牛肝，一簇岩石又真像马肺，也不知经历了多少地质年代，这岩石上的怪石仍然如故。正如一首颇有趣味的民谣说："千年阴雨淋未朽，万载烈日晒不干，老鹰盘旋空展翅，要想充饥下嘴难。"

可是，人们未曾想到这牛肝马肺峡却记录了帝国主义列强侵略中国的历史事实。清朝末年，由于清政府腐败，李鸿章与英国政府签订了卖国的《烟台条约》，确定湖北宜昌等地为通商口岸。清光绪二十六年(1900)，英帝国主义的军舰也乘机打着"打通川江"的旗号，闯入三峡而开进牛肝马肺峡。当时几个发狂的英军人员，穷极无聊，竟开炮把马肺轰掉了一半。1962 年 6 月，郭沫若先生从重庆乘船过此，愤慨地写下了"兵书宝剑存形似，马肺牛肝说寇狂"的诗句。

黄鹤楼始建之谜

舒邦新

黄鹤楼究竟始建于何时，现存史料上并无确切记载，此事遂成千古之谜。南朝刘宋诗人鲍照有《登黄鹤矶》诗，诗中无一字言及黄鹤楼。登矶而不赋楼，应非情理之中，可见当时黄鹤矶上并无黄鹤楼。嗣后祖冲之《述异记》关于荀瑰的一则传说中称瑰“憩江夏黄鹤楼”，这是目前所能见到的最早提到黄鹤楼的文字材料。祖冲之为齐、梁时人，生年略晚于鲍照，据此可知在鲍照赋《登黄鹤矶》诗之后，当祖冲之生年之时，江夏（今湖北武昌）应已建有黄鹤楼。自此之后，史料上关于黄鹤楼的记载就多起来了。不过，在祖、鲍之前是否也曾建过黄鹤楼，则仍是不解之谜。近人臧励龢等编之《中国古今地名大辞典》（民国二十年初版）谓据《三国志·吴书·吴主传》称黄鹤楼始建于三国吴黄武二年（223）。时至今日此说尚广为传布。其实《吴主传》中只称“（黄武）二年春正月，曹真分军据江陵中州。是月，城江夏山”，并无片言只语涉及黄鹤楼。《中国地名大辞典》之说实误。

黄鹤楼与奥略楼

舒邦新

凡是记述民国期间他人或本人曾经登临或眼见黄鹤楼的记载，均不符合事实。这些记述错误，在很多情况下都是由于把当时黄鹄矶上的奥略楼误认或误记为黄鹤楼所致。试看《孙中山先生莅临武汉五日记》记载的孙先生在黄鹄矶上发表的演说中即称“今天我来到武昌城头，奥略楼下，交友谈心。确实感到宽慰！”足可说明孙先生当时说的“楼下”之楼是奥略楼而非黄鹤楼。奥略楼系清末湖广总督张之洞于光绪三十三年调任体仁阁大学士、授军机大臣离鄂后，由湖北地区的一批官绅为纪念张氏而筹款修建的。原议以“风度”名楼，后经张氏定名为奥略楼，盖取《晋书·刘弘传》“恢宏奥略，镇绥南海”之意。此楼建于武昌蛇山，与光绪十年所焚之黄鹤楼遗址相近，故后人常误认此楼为黄鹤楼。八十年代重建黄鹤楼，奥略楼才被拆除。

楚地巫歌和巫俗

邬　鸣

鄂中的大洪山区是古楚国的腹地。山麓四周的京(山)、安(陆)、随(州)、枣(阳)、宜(城)、钟(祥)等县的山区乡镇，至今还保留着一种唱歌祭神的民俗。这套祭神仪式叫《善歌锣鼓》,共有定堂锣鼓、念词、扬歌、止歌、请神、定韵、争令、安神、唱书、送神、赐福、贺喜等十二套仪程;演唱时有单声子、双声子、四句子、五句头,十句子、十字头等吟、哼、合十种唱腔;还有渔阳三挝,太公钓鱼、赤眼豹花、大圣偷桃等七十二套带舞蹈动作的花鼓点子。演唱者又分成歌师傅、歌师、歌手三个层次，最大的演唱会有五十人参加，有时还配有笙箫鼓乐；小祭时三五人同堂演唱。所唱的内容从开天辟地唱到朝书，内容庞杂，层次很多。山区的居民千古形成的习俗，无论婚丧嫁娶，直至牙痛和鸡生鸡蛋，都要许愿和请师傅来唱歌祭神还愿。据地方志记载，明清民国时期为它的鼎盛时期。一般认为它是楚地重巫习俗所致，是《九歌》的流变，是楚巫文化的折射和积淀。

嫁毛虫

黄庄子

嫁毛虫，又曰嫁毛娘。旧时农历四月初八浴佛会之日，湖北恩施、郧阳、宜昌等地，城乡居民以两张径寸宽之红纸，上书佛祖释迦牟尼生诞或五言、七言韵文咒语，交斜相连遍贴于墙壁，谓之“嫁毛虫”，习俗以为如此可驱虫，故有谚云：“浴佛嫁毛虫，虫害无踪影。”

放 河 灯

阎俊杰

1949年前，汉江沿岸有放河灯的习俗。人们为了对死去的人寄托哀思，也有给亡灵以温暖和照明之意，每年到了农历七月十五日，不少人家用高粱稭杆做成一些巴掌大小的方架、上插一根直杆，套上蘸了油的纸捻，点着放入河中。当时老河口镇每年必有这种活动，七月十五日入夜，汉江面上浮着片片河灯。河灯随着河水漂去，不断变换形状，像是一股股火流。

以汤圆占卜生男生女

章 涌

汤圆是元宵的俗称。因汤圆外形“团团圆圆”，故逢喜庆或亲友远别时，多食之，取“团圆”之意。湖北人做汤圆大小如龙眼、鹅卵状，或曰“鹅卵”。多以白糖、桃仁、瓜仁为馅，有甜、酸、咸三味。旧时湖北孝感一带孕妇常用水煮汤圆，以占卜生男生女。煮时，若汤圆破裂即兆生女，若表面有凹陷或起黄豆般大小“丘疹”，则兆生男。按：此风俗今已不存。

赛 鞭

余彦文

罗田大崎、黄冈庙一带有赛鞭风俗。过去，每年中秋后必举行这种活动，参赛者为相邻村塆的青壮汉子。鞭用紫藤皮和苎麻拧成，长两米半，渐前渐细，鞭须若牛尾，双方各备数百根。

赛时各举数十人同时登场，赛场多在相峙的平岗上，发鞭后，“噼啪”之声昼夜不停。茶饭由家人送来，歇人不歇鞭。以鞭声不断，声响大而能远应为胜。为了取胜，各请他村鞭手、鞭匠来助，款待酒肉，赠送特产在所不惜。若胜负难分，常延续两三日，胜方引以为荣。

扯 碾 子

余彦文

过去，鄂东农村去米麦糠皮都用石碾，村塆必置，有环转、滚压二式。前者由环形槽(多拼接，

少整凿)与丁字形木嵌石轮一对组成,架头坐人,驶牛拉动。后者由碾盘、碾滚合起,亦使牛拉,人不上坐。红安、麻城多用后一种。碾盘如晒筐大小,直径约二米,厚约六十厘米,中心凿孔装轴以转碾滚。碾滚如大车轮,高约六十三厘米,厚约五十厘米,光碾盘就超过一吨。把这个庞然大物从石山上运到村塆边安置叫做“扯碾子”。

“扯碾子”是村塆的盛事。值此,家家张灯结彩,沽酒割肉,有如年节。青壮劳力一齐出动,远近亲朋赶去帮忙,有经验的老农、工匠到场出谋划策,老老少少或送茶水,或观战,未出力的也捏一把汗。

碾盘启动前,用粗棍撬起侧立。从中心轴穿一圆木,两边绑扎“鹰架”,使盘能滚动不致歪斜。“鹰架”前后系粗绳各两根,每绳配人五六个。举健而有权威者坐架上执旗指挥。众人前拉后扯,走走停停,轮班而作。呼喊声传闻数里。若中途受阻,便丢活鸡、鲜肉于碾下喂“虎”(俗以石碾为石虎)和祭“路神”。遇这种情况,招来围观者更多。至顺利到达,齐放鞭炮,欢呼庆贺。

自轧米机械下乡,碾子闲置,“扯碾子”之俗亦随之消失。

请“七 姐”

刘正民

我儿时在洪湖老家，经常看到我的姐姐们“请七姑”,又名“请七姐”。

每年正月初七晚上，我的还没出嫁的姐姐们聚在厨房里，将一只小筲箕覆过来，小头在前,上面盖一块青色包头,又在筲箕的小头边扎上一支筷子,筷子周围,插上几朵红纸花,这就是“七姑”神灵的载体。小桌上放着一个沙盘,筷子头就插在沙盘中。

点燃香烛,由两个女孩子抬着筲箕,和周围的女孩子们(也有未成年的男孩)一起念念有词。词的全文是:“正月正,麦草生,请七姐,问年成,一问收成多和少,二问人事假和真。七姐要来早些来,莫等深更半夜来。三更夜,桥难过;五更夜,锁难开。戴花帽,穿花鞋,摇摇摆摆走过来。”反复地念,那筲箕竟真的转起来,抬着筲箕的两个女孩子的手就顺着势转动，那个筷子头就在沙盘里划着圆圈,显示着七姐已经降临了。

于是姑娘们就向七姐提出问题,请求指点。我听了几年,她们提的问题我也都听熟了。

开始问当年水灾。当筷子头在沙盘里划一个整圆时,就表示不会破堤溃口,姑娘们都喜上眉梢。当看到沙盘里是一个未封闭的破圆时,姑娘们就愁容满面。

接着是问婆母娘好不好,圆就是好,大半圆是半好,半圆是不好。

最后是问年龄。问者先拱手一揖,筲箕头向上一抬,表示看一看人,然后就用筷子头在沙盘中点几下,点一下是一岁。

忽然,筷子既不画圆,也不点点,筲箕不动了。姑娘们生气的说:“一定有人把七姐得罪了,找他们去!”打开厨房门一看,要是有男孩子在当门撒尿,一定会挨揍,我就被姐姐拧过耳朵。因为七姐最讲卫生,害怕臊气。请七姐的活动就在这由虔诚变得轻松的气氛中结束了。第二天,关于水灾、旱灾、丰收、减收的消息就在小村子里传开。

只有一年的请七姐的气氛一直是严肃的。那就是 1944 年的一次。那时日寇在洪湖奸掳烧杀,民情激愤,都希望日寇快点滚蛋。正月初七晚,村子里的男女老少挤在那间约八平方米的小厨房里,请七姐告知日寇的“阳寿”还有多久?筲箕抬起了头,巡视了周围,筷子在沙盘里点了两下,后一点点得很慢。这时,人们的眼睛里闪着兴奋的光芒。有人小声地咒骂:“龟儿子,要短命了。”第二天,村子里传开了:“咬紧牙关,日本矮子顶多两年就要死绝了。”

我问过姐姐们,那筲箕是真的会动吗?她们既不肯定,也不否定。我想,这大概是心理上的虔诚加上配合上的默契，谁的手稍为颤抖一下，另一个人的手也迅速反应，就真像冥冥中有某种力量在推动了。

至于她们所念的精神词，以及所提出的一些问题，都充满了生活气息与水乡泽国人的愿望，决无装神弄鬼，阴森可怖之状。人神相通，七姐就像是一位聪明可爱而又讲洁净的村姑，成了姑娘们的一员。

请七姐的习俗，具体地反映了“楚人重淫祀”和“人神揉杂”的历史渊源，它的娱乐成分多于迷信成分。

蕲春四宝

涂子开

蕲竹

蕲竹，据明代弘治《黄州府志》云：“蕲竹，亦名笛竹，以色莹者为簟，节疏者为笛，节须者为杖。”一般竹为环节，蕲竹为绕节，节与节之间辗转相绕，组成一个个的梭形，状如罗汉肚。蕲竹有大小之分。大蕲竹贵在作簟，色泽晶莹，有如琉璃、美玉，质地坚硬，劈篾如丝，用以作簟，柔软如绵，折叠如布。热天，人睡在上面，既透凉，又爽汗；起身后，经久不硬。故唐代有许多文人

写诗赞美它。韩愈诗曰："蕲州竹簟天下知，郑君所宝尤瑰奇。"白居易形容它"笛愁春尽梅花里，簟冷秋生薤叶中"。

蕲艾

蕲艾，是名贵的中草药。历史悠久，誉满全国。明代李时珍在《本草纲目》中说："近代唯汤阴者谓之北艾，四明者谓之海艾，自成化以来，则以蕲州者为胜，用充方物，天下重之，谓之蕲艾。"相传他处艾灸酒坛不能透，蕲艾灸酒坛则能透云。

蕲艾味苦而辛，无毒，洗熏服用皆可。能温中、逐冷、除湿，治多种疾病。李时珍还说：蕲艾"服之则走三阴而逐一切寒湿，转肃杀之气为融和；灸之则透诸经而治百种病邪，起沉疴之人为康寿。其功亦大矣。"蕲艾除能治多种疾病外，还具有异香，枝叶熏烟能驱蚊蝇、清瘴气，具有杀毒的功能。

蕲龟

龟产于蕲州者，颇为奇特，故以名曰"蕲龟"。蕲龟形状与普通龟相似，唯背甲普生细长而浓密的绿色绒毛，故又名曰"绿毛龟"。

蕲龟自唐宋以来，就负有盛名，常饲养于庭院以供观赏。若取龟置清水中，绿毛轻漾，漂浮满盆，金丝浮动，晶莹耀眼，既如一团青苔在水中沉浮，又似镶嵌在白玉中的一块翡翠。如捞出水外，绿毛紧贴龟背，金丝井然不乱，颇为奇特。蕲龟既是美丽观赏动物，又是营养价值极高的滋补良药，李时珍说："此龟滋补……用之，与龟甲同功。"能通经脉，助阳道，补阴血，益精气，治痿弱，并可治阴虚、咯血、疟疾等症。

蕲蛇

蕲蛇是蕲春著名特产。蕲蛇属蝮蛇科，有剧毒。相传人被蛇伤，不出五步即死，故称五步蛇。因其全身黑质白花，故又名白花蛇。头扁呈三角形，背黑褐色，尾部侧扁，尾尖一枚鳞片尖长，系角质刺。蕲蛇若被捕者逼得无路可走时，它就调转尾刺破腹自杀。

蕲蛇虽毒，却是我国名贵传统中药，是封建王朝皇帝指定的进贡珍品。蕲蛇性温，蛇肉具有祛风湿、舒筋活络、镇疼止痒之功能，能治风湿性关节痛、风湿性瘫痪、半身不遂、皮肤瘙痒、恶疮疥癣等几十种病。

“县太爷”闹元宵

董治平

鄂西北旧俗，元宵灯节前一日，有好事者扮“县太爷”，着古装，戏曲丑角妆扮。手执三尺长大烟袋或特号大折扇，骑一根碗口粗细丈余长短的木杠子，由二“民伕”抬着。前有“差役”高举“肃静”、“回避”的牌子开道，后有“骑驴”的“摇婆子夫人”相随。另有一丑扮“杂役”，单挑一只“夜壶”(便壶)穿插其间。一路敲着破锣，前呼后拥，沿街“催灯”。每经商民士绅门口，“差役”便高声喊道：“掌柜的，灯准备好了吗?”主人随即凑趣，故作惶恐，打躬作揖，小心回答：“回老爷话，准备好了。”差役转身禀告“县太爷”，“县太爷”便煞有介事地指手画脚一番，即兴传下些“命令”，随口编造些“赏罚条文”。“骑驴”的“夫人”歌舞助兴，“杂役”趋前，提起“夜壶”为“县太爷”敬“酒”。插科打诨，半真半假，滑稽诙谐，充满了节日喜气。民间谓之“老爷骑杠子”，又叫“催灯”。还有一说，叫“四老爷查街”。在“老爷”前冠以“四”，不知出自何典。

农历正月十五日，为元宵灯节正日子。家家张灯于门前，五彩缤纷，琳琅满目。狮子、龙灯、旱船、高跷、蚌壳精、高台故事等歌舞杂耍，走街穿巷,十分热闹。更有巧手人家,用襄樊特产之红皮白萝卜,择其周正鲜红者,于其顶端开一小圆口,从此圆口处下刀,将其内瓢镂空,四壁薄如铜钱, 且均匀无刀痕。然后于外皮上浅浅运刀,刻出各种花纹图案,线条宜粗不宜细,更不可刻透外壁。再于腔膛内装置蜡烛,圆口处安置提线,名曰"萝卜灯",供少小儿童沿街玩耍。若三五小儿成群,数盏萝卜灯相聚,烛光透过红白相间的花纹,朦胧中显现稚气的笑脸,亦别有一种情趣。

兴山龙灯

来层林

王昭君的故乡兴山县群众, 每年正月十五元宵节都要举行龙灯舞。过去,龙灯舞的费用都是年前由群众推举的几个领头人挨家挨户募捐,俗称"写灯钱"。愿出灯钱的人不分贫富,多少不论,就是出三四根竹子,一二斤蜡烛也不算少。至于规模由募捐多少而定。现在则改由政府出钱、文化部门牵头主办了。

兴山龙灯与众不同, 除了红黄二龙抢夺一颗红珠的舞蹈动作外, 还有一条青龙, 颈呈S型,口内含珠,起舞时无须用珠引逗,它可以在夺珠的两龙前后自由地游动翻滚。因为它已抢到宝珠,人们称为“得胜龙”或“弯脖子龙”。

此种独特的龙舞许多人不知其源。1990年我去兴山搜集王昭君故事时，才知道源出昭君传说:当年昭君从香溪河乘船进京,途遇红、黄、青三条恶龙拦道，昭君摘下头上的珍珠抛进河中,让机灵的青龙抢到,腾欢而去;昭君又抛出一珠,红、黄二龙奋力争夺,昭君便乘隙而走了。后人怀念昭君,就把这一传说编成“龙舞”,直至今朝。

黄州豆腐

涂子开

黄州豆腐与武昌酒、樊口鳊鱼、巴河藕并称,有歌谣曰:“过江名士笑开口,樊口鳊鱼武昌酒,黄州豆腐本味佳,盘中新雪巴河藕。”这四种食品誉满长江,《中国烹饪》杂志于1982年第四期有专题介绍。

据黄州豆腐世家施汉卿介绍:做豆腐不用江水、湖水、塘水,而用井水。黄州豆腐选用的是城南会同冈的井水——此井今在黄冈中学院内。这里原来远离闹市,四周无人居住,其水全由山泉汇集,水质清澈,冷冽,无杂质。用这种井水做豆腐，肉嫩、质腻、色白。在制作技艺上有一顺口溜："选料要精，虫、沙、瘪壳要去净；泡豆勤翻洗；换水按时分；豆浆一条流；磨浆粗细要适度；点浆识水性，甜咸淡要分清；压板按规定，先轻后重豆腐成。"这样做出的豆腐皮紧肉嫩、色鲜味美，切丝长细而不断，切片薄，粘纸，手顶似伞而不坠。

黄州东坡肉

雍　怀

用猪肉做成的菜，最出名的要算"东坡肉"了。杭州的"东坡肉"被列为杭州第一道名菜，四川的"东坡肉"、江西的"东坡肉"也都很有名，连云南大理的少数民族在结婚时也有新郎新娘合吃"东坡肉"的习俗。

其实，"东坡肉" 最早起源于黄州。20 世纪 80 年代初期，黄州、杭州为"东坡肉"最早起源于何处发生争论，最后经商业部专门研究认定起源于湖北黄州。"东坡肉"的来历直接联系到北宋大诗人苏东坡，诗人曾被贬黄州，在这里生活了四年又两个月。那时，黄州肉烧得不好吃。经过苏东坡多次试验，总结出了一套炖肉的方法，注重刀法、火功和色、味，写了一首《炖肉歌》：

净洗锅，少著水，柴火罨焰烟不起。待

它自熟莫催它,火候到时它自美。黄州好猪肉,价贱如泥土,贵者不肯吃,贫者不解煮。早晨起来打两碗,饱得自家君莫管。

因为这种炖法是苏东坡发明的,所以后人就称用这种方法炖出的肉为“东坡肉”。

黄州“东坡肉”的做法是:用五花猪肉做主料,每斤肉切成四四方方的八块,先用旺火烧,去油,加佐料,再用小火焖。它的特点是:色泽酱红,汤肉交融,肉质酥烂如豆腐,吃时有特殊风味。

武昌鱼

涂子开

武昌鱼,俗称团头鳊、缩项鲂。据武昌县志:鲂,即鳊鱼,又称缩项鳊,产樊口者甲天下。是处水势回旋,深潭无底,渔人置罾捕得之。止此一罾,味肥美,“鳞白而腹内无黑膜者真”,味较别地更佳。

鄂城古称武昌,其西南有六十万亩水面的湖泊,叫梁子湖。梁子湖草丰鱼美。它的通江处为樊口。这里水势回旋,并有大小回流之分。在樊口曰大回,在钓台下者曰小回。唐代元结有歌曰:“樊口欲东流,大小欲北来,樊口当其南,此中为大回。回中鱼如游,回中多钓勾。漫欲作渔

人,终焉得所求。”歌中所说的“回中鱼”,即是武昌鱼。由此可知,武昌鱼喜欢生活在回流之中。

武昌鱼得名于三国。东吴甘露元年(265)末帝孙皓再度从建业(南京)迁都武昌,“百姓溯流供给,以为患苦”。左丞相陆凯上疏,引用了“宁饮建业水,不食武昌鱼”这两句童谣,武昌鱼始有其名。

酸浆面馆的跑马彩灯

邹演存

酸浆面在襄樊是传统的风味小吃,酸辣鲜香,早在清朝道光、咸丰年间就为乡里称道。与众不同的是门前立着广招顾客的美术工艺标帜——八角跑马彩灯。据面馆的嫡传师傅说,它的兴盛闻名,与襄阳单宰相分不开。

曾在北京做官,后来当了文渊阁大学士的单懋谦,很想吃家乡的酸浆面,回乡探亲时,专门登门品尝这一民间小吃。面馆一般的开门营业时间总在晚间。劳动了一天的市民,聚会在这里宵夜闲聊,也就成了劳动群众的消闲场合。这晚,为了招待单懋谦,店里油灯、蜡烛齐明,门前还挂了盏纸扎彩灯。单入座后,一面品尝面食及水鲜包子,一面与主人闲聊。单问:“店堂摆设,平常就是这个样子吗?” 主人忙答:“回您老的话，专门为侍候老人家装点的！”单呵了一声就说：“这盏灯笼好，就是你们的招牌，生意会越来越红火的。”店主人喜出望外。

小食店的生意真的越来越红火。门外案头边高立着一盏大大的八角跑马灯，灯顶彩蝶飞舞于花丛，八支灯柱，八朵彩球，八角灯面书写了如：“一上一条牛，立日在心头，西下有一女，女子多风流”等八条谜语，让食客猜谜作乐。“要得发、不离八”，就应在这盏灯的彩头上。百年来沿袭着这一店规，酸浆面也就成了远近闻名的美味佳品。

民间拳师

楚天孤

抗日战争中期，重庆川东师范广场，举行擂台比武。最末一日，我应友人邀请，前往参观。

擂台以木板搭成，高数尺，台中有一横线，规定双方不许越过(仅此一项限制)。裁判两人，分执红、绿小旗一面，挥动时即示意停止。裁判长则安坐席上。

优胜者，得银盾一枚。通过数日比试，市警察局武术教官某，力挫群雄。其人身高力壮，出手狠毒，败其拳下者，多带伤。午后将宣布名次时，台下走上一人，四十岁左右，身着长衫，赤足草鞋,头缠白巾,拱手请式后,退步将长衫下摆拎起插入腰间横带内,双手晃动,疾如风雨,十数合对方已捉襟见肘,败象将呈,台上口笛声响,暂停休息。二局开始,一如以往,对方穷于招架,身法将乱,又口笛声响,宣布比试终止,两人并列第一。并捧出双银盾。此时台下观众嘘声大作。上台应擂之人,以手将长衫下摆掏出还原,飘然下台,掉头而去。友人相告:此人乃小龙坎菜贩,历来成都花会打擂,均得金章。

打虎专家王之孚

达　奉

王之孚,湖北咸宁人,20世纪70年代和我相识时约四十岁,其家世代以打虎为业,单传到他,人莫知其特技也。十五岁时,其父令其打虎,即已得胜。迄后毙虎无数。其打虎方法奇特,先寻虎出没之处,据足迹,知虎之大小轻重,并可准确判定其回返时间。虎往返间隙,少者三五日,多则不逾半月,均可于其爪迹扭向中得之。度返回日,系豕羊于水边作诱饵,皮毛涂以酒。虎至,裂食之。酒发而渴,饮水后益躁,狂啸不已。捕者出,迎面立定,距虎五六米,腰插枣形铜锤二,各重四五斤,系以八尺铁链。与虎四目对视,屹立不动,俗称比胆。捕者突扬左手,虎即腾

空扑面来。捕者逆势掷一锤,中其左目,急收链箭步俯身过。虎上人下,对越如梭。各转身凝视。虎左目鲜血如注,大吼,更高纵猛扑。捕者再掷一锤,右眼亦瞎。双方易位,又迎面立。虎怒甚,舞爪张牙,口若悬盆,盲目作殊死斗。捕者视准虎口投最后一锤,直贯入喉,链亦松手随去。虎哽,立仆,蜷曲挣扎吐锤,然愈呕愈入,卒不支。这里要求动作机敏,神力贯注,进退应对,罔不有度。手、眼、身、法、步,必丝丝入扣,毫发之差,生死之判也。锤链常携不便。然三尺木棍,不能离身。棍药煮,坚韧如钢筋。遇虎,仍面立,往来回合如故。虎跃甚高,棍不可及。然最健者七十回合后,必渐降。可寻机于腹下断其腿,俟断三腿,即匍伏不起矣。可惧者野猪、熊等兽类,盖其动作紊乱无序,不若虎之纵跳有法可循也。

斧剁不断的铁丝蛇

戈 丰

1942年,正值抗日战争期间,我居川东黔江。一日,因事赴凉水井。途中见一褐色线状物,长可五寸,疑为铁丝,杖触之,见蠕动。杖头包铁,击之,蜷曲不死。遂着力猛戳,仍如故。心有未甘,乃至路边,寻尖锐石猛击,历十余次,汗出气喘,无可奈何。赶至工作处所,寻木工利斧,返而对之连剁数十次，不断亦不死。后询及当地老农，称为“铁丝蛇”，如缠及腕指，可锁入肌肉，剪不断，拉不开，人恒畏之。

飞毛腿赵萍

文 丰

赵萍，山西昔阳人。壮年随吴佩孚军入鄂，吴军败绩后，流落湖北当阳。有飞毛腿绝技，常日行三百里，人鲜知者。据其语我：“民初，曾客居潼关，打卖豆腐，每日至华阴县求售，往返百二十里。一日，因事稽延，距潼关闭城时间仅一时半矣，遂匆匆摒挡返。途中行人车马，均被超越，独一人行甚疾，追不可及，乃作小跑逾之。回视，一道人也，明目皓齿，须鬓皆白。笑谓余曰：得毋竞飞毛腿耶?余曰不敢，虑城门闭耳。问所从学，余以实对。老人喟然曰，吾光绪帝镇殿大将军也。鼎革之后，隐居华山，今见子，喜吾道之不孤也。两人且行且谈，颇受教益。

询及练功方法，赵萍说：“晨起，旭日初升，东向作深呼吸，庶疾行不疾喘。且夫行之速者，其步必大。应尽跨力之所能，迈大步。庭院划数十格，日行其上，每步必奋力及线。初甚难，俟适应后，更增加幅度，无极大毅力者不克成，故能之者鲜。”余观其示范动作，昂首挺胸，身前倾，

跨步三倍常人,而体力之耗尤巨。日行三百里,信然。

后 记

我们湖北馆负责《新编文史笔记·湖北卷》的编写任务。接受任务之初,就邀集馆员传达、学习全国文史笔记工作会议精神,并布置大家写稿。鉴于我馆馆员人数少,其中还有的年老多病,执笔困难,稿源大成问题,我们就不得不依靠一部分社会力量。除了在武汉地区约稿而外,并先后去省内几个地区召开座谈会,向当地人士广泛约稿。此后,就陆续收到来稿,也有少数省外作者根据他所掌握的湖北史料撰稿寄来。我们就采取随收稿随审读的方式。到1991年4月截稿为止,共收到馆内外来稿近千篇。经选定一百四十余篇,分为十二个栏目,约九万余字。其中绝大部分是记述生长、生活在湖北或发生在湖北的人和事,基本保持了地方特色。

选稿时,我们力求做到每篇都是作者亲历、亲见或产闻的事实,以保证基真实性。已入选的各篇，多数是“三亲”的产物；虽有少数篇非“三亲”者，也言之有据，有事迹可考。

选稿标准，队重视政策性和可读性，稿件都经过初选、复审然后由主编定稿。入选的文稿中，有一部分我们在文字上作了一些删节、改动，有些篇并代换了题目。每个栏目中文章的编排次序，是按文中所述事实发生的时间先后排列的。

为编好本书，我们作了一些努力，但由于基础薄弱，编辑水平有限，所以还存在一些问题，有些地方还这没有达到要求，有待读者批评指正。

编辑过程中，得到馆内外作者和社会上各有关部门的帮助，谨此表示谢意！

编　者